CARDIOLOGIE PNEUMOLOGIE

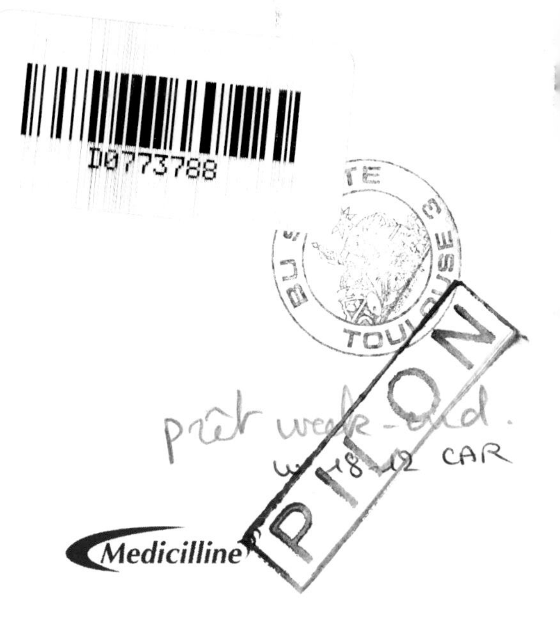

Medicilline

Éditions Médicilline
66 avenue Secrétan - 75019 Paris
contact@medicilline.com
www.medicilline.com

ISBN 978-2-915220-44-5

Introduction

"Prenez une longueur d'avance"

A1. POURQUOI CET OUTIL : *"MIEUX VAUT UNE TÊTE BIEN FAITE QU'UNE TÊTE BIEN PLEINE"*

A1. LA MÉDECINE EST UN SAVOIR SANS FIN : quantitativement environ **130 symptômes** et plus de **10 000 pathologies** et qualitativement datas évolutives.

Dans la pratique (et encore plus aux décours des examens), la démarche médicale se réalise en 2 temps :

1. **À partir d'un symptôme** (parmi la centaine existant) trouver un **diagnostic** = **"Pathologie"** (ceci à travers la démarche **"TAFACPD"** : cf. mémo Méthodologie : Terrain-Antécédent - Fréquence - Anamnèse - Clinique - Paraclinique - Différentiel) **en cause**
2. Appliquer le **"guideline thérapeutique"** (selon le "staging" et le terrain), concernant les **20 à 30 pathologies** que rencontrent le **spécialiste** (cardiologiste, orthopédiste,...)

Ce que recherchent les **Professeurs** qui vous **questionneront à l'ENC** : un **interne opérationnel** qui :

- maîtrise (80% de la connaissance) les **pathologies fréquentes** (soit sur l'ensemble des spécialités environ **100 symptômes,150 pathologies** et **40 familles thérapeutiques**)
- ne soit **pas dangereux** : maîtrise des **situations d'urgences** (les différentes détresses, non-iatrogénie,...)

Par suite, cette Collection a été créée pour optimiser le ratio : importance de l'information / temps consacré à l'intégrer. Notre équipe a ainsi utilisé les **dernières nouveautés** concernant la **pédagogie** de l'apprentissage et les **techniques de mémorisation**.

A2. LA MÉMORISATION EST UNE AFFAIRE DE MÉTHODE : La mémoire a besoin de supports & stimulis convergents (auditifs, visuels, ...)

Renforcer l'information par **différents liens ("synapses convergentes")** et **supports (visuel, auditif, ...)**, tel est le process d'une bonne mémoire à long terme (créer une toile d'araignée autour de l'information) :

- **cours hiérarchisé** (cf plan) : créer un lien **logique** via la physiologie ou l'anatomie
- **petit schéma** ou dessin pour les adeptes de la **mémoire visuelle** (de la même facon que la mémorisation orale sur le long terme du Chinois ne peut se faire qu'à travers le support des caractères)
- **"tableau Minute" synthétique,** où les **6 points-clés pour l'examen** sont mis en évidence
- vécu raconté (cours du Professeur en amphithéâtre)
- vécu personnel (***"avoir le film en tête"*** en donnant l'impression de l'avoir vécu 100 fois)
- **aphorisme frappant la vue** (ex : aspect en *"bouchon de Champagne"*et l'imagination (*"Coup de tonnerre dans un ciel serein"...*)
- **équation aux dimensions** cf. France = 65M = 1% population Mondiale
- **mémos** : **astuces** premettant un **support auditif** *"Mais ou est donc or ni car"*, ou visuel cf. les décimals de Pie *"Que j'aime apprendre ce chiffre aux sages"* = 3-1-4-...lettres), "**1515**" ou "**9/11**" (beaucoup plus facile à retenir que l'année de la découverte Majeure de l'Amérique (1492)

A3. LES MOYENS MÉMOS EN MÉDECINE : mettre l'information pertinente en réseau

L'étudiant (cf. stress de l'examen) ou le Professionnel (cf. contexte de l'urgence) ont à l'évidence besoin de données réflexes et sûres.

Les médecins anglo-saxons depuis leur plus jeune âge utilisent systématiquement devant tout patient : "**SOAP**" (**S**ymptôme subjectif type douleur thoracique - **O**bjectif : éléments cliniques et paracliniques indiscutables - **A**ssesment : hypothèses diagnostiques - **P**lan d'action), et qui ne se souvient pas de la classique liste des 12 paires crâniennes (du temps où l'anatomie était un élément discriminant : *"Oh Oscar Ma Petite Thérèse..."*), appris sur le banc des premiers amphithéâtres où les 4 pathologies à éliminer en priorité devant une douleur thoracique (cf. "**PIED**" : **P**ericardite-**I**dm-**E**mbolie-**D**issection), sont des éléments qui **confortent et rassurent la mémoire** (en créant un une nouvelle synapse). Tout ceci a pour but de renforcer la rétention mnésique à l'image du muscle de sportif, et s'avère être un processus actif pour l'étudiant (utilisation d'un item qu'il considère utile ou création de son propre mémo).

A4. TYPOLOGIE DES MÉMOS MÉDICAUX

Pour créer des synapses inter-neuronales, les médecins ont créé tout un vocabulaire spécifique de facon à retenir l'information (80% de l'information pertinente est retenue dans 1 phrase ou 1 mot).

Citons différents types de moyens :

- **Aphorisme** : ex *"Aspect de mains mal lavées"* dans la maladie d'Addisson cf. muqueuse qui *"pleure le sang"* en endoscopie pour la RCH, *"douleur en bretelle"* des pathologies biliaires, ou la classique *"Colique néphrétique frénétique"*, *"l'asthme pousse et la laryngite tire"*, Les *"Canada Dry"* : *"la sigmoïdite, c'est l'appendicite à gauche"*,...

- **Adages** : exemple les "Jusqu'à preuve du contraire " : *"Toute fièvre chez un cardiaque est une endocardite jusqu'à preuve du contraire "* ou *"Toute fièvre de retour d'un pays tropical est un paludisme jusqu'à preuve du contraire "* ; ou bien les "**pathognomoniques**" (ex : signe de Kopick et rougeole) voire les "**Pas de X dans Y**" (ex : pas d'IM dans un IDM).

- **Équation aux dimensions** : ex posologie des aminosides "**36-15 GNA**" (**G**entamycine 3 mg/kg - **N**étromycine 6 mg/kg - **A**miklin 15 mg/kg)

- **Hommes célèbres** : retenir les pathologies à travers des biographies célèbres peut également permettre de soulager la mémoire (*"De la Star vient la Lumière"*, ouvrage à paraître aux éditions Médicilline).
- **Acronymes** (cf. SNCF) qui ont l'intérêt majeur de **fixer le nombre d'items**. Ainsi : Les 3 types d'hypocholestérolémiques **"SFR"** (Statine-Fibrate-Résine) permet immédiatement de reconstituer la réponse.

A5. SPÉCIFICITÉS DE CET OUVRAGE concu pour votre reussite

UN OBJECTIF "100% ENC": SAVOIR SE LIMITER & **MÉMORISER LES 100% DE L'INFORMATION "TOMBABLE"**

Dans chaque spécialité, la **sélection des items** scientifiques tombables a été rigoureuse et les **listings** ont été limités à **moins de 6 items** (sinon la mémoire n'est plus efficace).

Au niveau **visuel** un effort particulier a été fait de facon à vous donner **3 outils supplémentaires de mémorisation** : frapper la vue et l'imagination : vous pouvez beaucoup plus aisément reconstituer le film d'une pathologie que le patient est réel et connu (adjonction des rubriques **"Stars Mémos"**).

De même, un énorme effort sur des **"tableaux minute" synthétiques** ainsi que des **"visuels minute "**!

A6. COMMENT UTILISER CET OUVRAGE

Devant toute question ENC 4-clés :

- 1. **Se limiter à apprendre les 80% de l'information utile, et refuser d'apprendre les détails et raretés** qui encombrent votre mémoire.
- 2. Montrer que ***"vous avez le film de A a Z dans la tête"*** (même si vous n'avez jamais vu un seul malade !). Pour cela visualiser (par ex via "Star Mémo"), toute la chaîne médicale depuis le symptôme jusqu'à la guérison (ou stabilisation). Garder toujours la vision globale de la pathologie en tête.

- 3. ***"Apprendre à penser comme un Professeur"***. *"Si j'étais Professeur, quelles seraient les questions que je poserai et les 2-3 "pièges" classiques où l'externe n'ayant pas ECN Mémo, tomberait à coup sûr !"*
- 4. **Utiliser un mémo... seulement quand cela est UTILE !!**
  . Souvent l'explication rationelle (physiologique ou anatomique) permet d'éviter l'élaboration d'un mémo (qui complique plus qu'il n'aide)
  . Réaliser un memo peut s'avérer extrêmement chronophage, alors regarder la proposition *ENC Mémo*, car les mémos actuellement disponibles pêchent souvent par leur absence d'homogénéité ou d'intérêt : "tiré par les cheveux" (ainsi a l'extrême, on pourrait voir ce type de data figurer dans un ouvrage : Les 3 type de toxicité de tel médicament : "3 I" de Insuffisance Respiratoire - Insuffisance Cardiaque- Insuffisance Hepatique... ce qui n'apporte rien car les mots-clés sont les organes !).

En 2 mots, **sélectionner dans chaque spécialité, les 5 à 10 mémos dont vous avez spécifiquement besoin parmi la soixantaine proposée** (les besoins sont spécifiques à chacun et certains préfèreront la mémorisation visuelle alors que d'autres réviseront en moins d'une minute leur question via le mémo (ex : **IDM** - avec 3 mémos **"PIED"**, **"MONA"**, **"ABCDE"** aller chercher 70% des points pour l'ENC).

Bonne lecture et bonne route,

Guillaume ZAGURY
MD, MPH, MBA
Directeur et Fondateur des éditions Médicilline
Guillaume2008@hotmail.com
Guillaumezag@medicilline.com

COLLECTION ENC MEMO

L'outil intelligent "100% ENC" pour vous faire gagner du temps.

Une nouvelle collection adaptée au programme et à la nouvelle philosophie ENC : plus de longues listes à apprendre.

En 2014, tous les étudiants ont approximativement la même base de connaissances avec environ 325 fiches de synthèse (soit personnelles, soit achetées dans le commerce). L'étape suivante consiste à structurer logiquement cette information, puis ensuite la retenir... Cet ouvrage est l'outil idéal pour décupler votre potentiel mnésique, de façon extrêmement efficace et 100% opérationnnelle.

Tout a été fait pour vous faire gagner du temps en ne vous proposant que des mémos à impact testés (l'auteur est un ancien conférencier d'internat) et répondant au cahier des charges d'un bon mémo (utilité, homogénéité, court,...).

2 exemples :

1. Sérologie pour dater une infection ancienne : IgG (infection ancienne) penser : **"GOLD"** (Ig**G**=**Old**, par suite IgM = Infection récente).
2. Diabète type 1, les 4 axes du traitement : **"DIDS"** : Diététique (GLP 50%-30% 20%) - Insuline (1 U/kg/ Jr) - Discipline (horaires réguliers,...) - Surveillance An/Sem/Tri/M/Jr)).

Sachez sélectionner les 10 mémos adaptés à votre niveau et personnalité (de très nombreux mémos visuels ont été incorporés) et vous avez de l'or entre les mains.

12 titres à paraître en 2013 :

Cardiologie-Pneumologie

Maladies infectieuses

Gynécologie obstétrique

Appareil locomoteur

Astuces/Tiroirs/Méthodologie

...

Toutes nos publications sont disponibles en librairie

ou sur www.medicilline.com

DU MEME AUTEUR POUR L'ENC

1. COLLECTION Doc Protocoles : "UNE IMAGE VAUT 1000 MOTS"

Exceptionnelle collection (plus de 20 000 ventes en 3 ans), qui vous permettra de maîtriser les gestes étape par étape grâce à une Infographie (loupe, fléchage,...) permettant de bien comprendre le point important.

Doc Protocoles existe également en application (Apple & Android).

2. MÉDI MÉMO XL

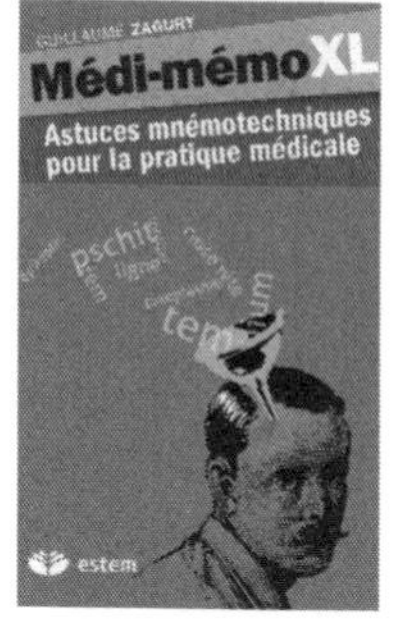

Un ouvrage qui a eu son heure de gloire puisque plus de 25 000 confrères l'ont utilisé tant pour leur pratique que pour leur préparation à l'Internat.

Editions Estem, prix public TTC : 20 euros.

3. COLLECTION 100% ECN : SANTÉ PUBLIQUE :

La référence pour l'ENC

Les auteurs ont probablement écrit la référence pour l'ENC avec une information totalement hiérarchisée et différents niveaux de consultations (fiches Minutes).

4. APPLICATION ORDONNANCE MINUTE : un INCONTOURNABLE

Les 222 prescriptions les plus fréquentes dans votre poche

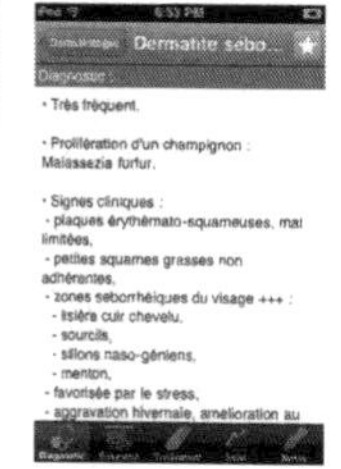

5. APPLICATION MEDI-SCORE :

La Médecine moderne est une médecine quantifiée (Stagging), ce qui sous-entend "Scoring" et "Classifications".

Cette application vous permettra d'accé-der à plus de 365 Scores et Classifications, utiles pour la pratique et... l'ENC.

CONCOURS "MÉMO +"

LES 6 CRITÈRES DU BON MÉMO

Gagnez un ouvrage de votre choix (voire plus si contribution significative) en soumettant votre **mémo original** à notre comité scientifique.

Envoi de votre proposition sur :

memo@medicilline.com

et "PQRS" = ***"Pas de Question Sans Réponse"***

Le cahier des charges obéit aux **6** critères élaborés ("recette du Coach") par Guillaume Zagury :

1. **Utile** (= argument de fréquence ou de gravité) : on n'apprend pas une langue en commencant par des mots rares...
2. **Homogène** (+++) : organe cible, mécanisme physiologique (saignement,...), pathologies... tous les items proposés doivent être en phase (*"poires avec des poires..."*)
3. **Court** : au-delà de **6 items**, la mémoire ne retient pas.
4. **Efficace** et non "tiré par les cheveux" : une astuce ne se comprendque si gain de temps immédiat pour l'étudiant.
5. **En relation avec la pathologie** : ex : "Dementia" pour les causes de démences
6. **Non vulgaire** : même si le commun des mortels a parfois tendance a mieux retenir ce qui frappe la vue et l'imagination...

L'auteur

Guillaume Zagury est médecin (AIHP, CAMU,...), "Globe Docteur" (nombreuses missions humanitaires) et entrepreneur. Il travaille en Chine depuis 2000 et exerce actuellement comme "Chief Medical Officer" du second hôpital privé international de Pékin.

Il vous livre avec cette Collection ENC-Mémo 20 ans d'exercice tant clinique que pédagogique.

Avertissements

Malgré tout le soin que nous avons apporté à l'élaboration de cet ouvrage, une erreur est toujours possible. Les informations publiées dans cet ouvrage ne sauraient engager la responsabilité des auteurs.

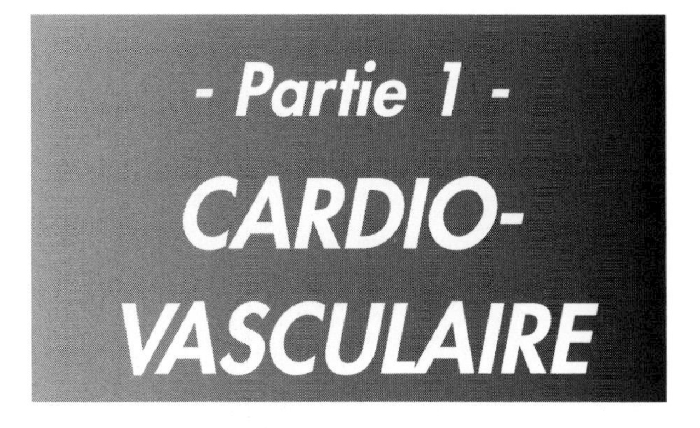

- Partie 1 -
CARDIO-VASCULAIRE

"Le Chemin du cœur passe par l'estomac"

Sommaire
Cardio-vasculaire

PLAN CARDIO-VASCULAIRE	Mémo
80. Endocardite infectieuse	
1. Principaux terrains à risque	D. SLIP
2. Fréquence des valvulopathies sous-jacentes au cours des endocardites infectieuses	AMIR
3. Les 3 germes les plus fréquents	Anti SSB
105. Surveillance des patients porteurs de valve et de prothèse vasculaire	
1. Les 3 principaux réflexes thérapeutiques concernant les valves mécaniques	mEKAniques
2. Les 4 principales complications des prothèses valvulaires	DATE
128. Athérome	
1. FDR	C.ATHEROME
2. Bilan athérome	6C
3. Hypolipémiant : les 3 classes	SFR
4. Statines : 2 effets secondaires et 2 contre-indications	HM-GCoa
129. FDR CV et prévention	
Scoring cardio-vasculaire	D. SLIP
130. HTA	
1. Classification OMS	
2. Valeur Tas maximale selon l'âge	1,âge
3. 3 grandes étiologies d'HT A secondaires	AEI
4. Les 6 principales causes d'HT A secondaires	COTAREG
5. 7 causes médicamenteuses d'HT A secondaires :	CARACOS
6. Les 4 principales localisations du retentissement viscéral de l'HT A :	4 C
7. Rétinopathie hypertensive au fond d'œil :	Rhone
8. RHD devant une HTA :	Pasta

Utilité (en examen ou pratique)	Pertinence	Visuel	Star Mémo
++	+	- Illustration : cardiaque fébrile - Photo : écho-trans œsophagienne (végétation valve mitrale)	
	++		
++	+		Mahler
+			
+			
+++		Tableau FDR compressibles	
+++	+++	+++	
+	+++	+	
++	++	++	Lénine
+++		Tableau synthétique avec scoring	
		Tableau classification	
+++	+		
+	+		
+			
+			
++	++	Tableau synthétique : organe - pathologie surveillance	
+++	+		

PLAN CARDIO-VASCULAIRE *(suite)*	Mémo
9. Les 5 principales familles thérapeutiques de l' HTA :	ABCDE
10. Mémo Pharmacologie :	
- Anti HTA centraux : 3 contre-indications	BDA
- Dérives nitrés : principaux effets secondaires	SCHMIT
- Inhibiteurs calciques : indications et contre-indications	HAS BIG
131. AOMI	
1. Apparition chronologique des symptômes dans une artérite des membres inférieurs	4P
2. Classification de Leriche et Fontaine	AMD.T
131A. Anévrysme aorte abdominale	
1. Les 5 signes cliniques caractéristiques à rechercher	" Ma pustule est un médic
2. Les 4 principales complications de l'anévr ysme de l'aor te abdominale	RICE
132. Angine de poitrine et infarctus du myocarde	
1. Les 5 principales caractéristiques de la douleur angineuse	CARTE
2. Les 5 entités de l' Angor instable	PRINCzmental
3. Chronologie des 4 pics enzymatiques :	*"Mon cœur trop lâc*
4. SCA avec ST + : prise en charge	MONA B
5. Localisation d'un IDM sur l'ECG	SAL2
6. Principes du traitement de sortie	ABCDEF
135. TVP et EP	
1. Les 3 axes étiologiques	CSP
2. Traitement de l'EP	Règle des 5
175. Prescription et surveillance d'un ttt antithrombotique	
1. Les 3 agents thrombolytiques	USA
2. Les 4 critères de reperfusion	AREST
3. Traitement de la phlébite	HBPM

Utilité (en examen ou pratique)	Pertinence	Visuel	Star Mémo
++	++	Schéma des associations possibles	
+	+++	Tableau méthode thérapeutique	Louis XIV
	+		De Gaulle
++ +++ ++	++ ++	- Tableau : du symptôme au diagnostic - ECG : ST + (sus-décalage > 1 mm) - Schéma mémo - Tableau cinétique enzymatique - Illustration : technique angioplastie - Tableau : complications IDM . - Tracés ECG	Montand
		- ECG type : cœur pulmonaire aigu	
+	++		

PLAN CARDIO-VASCULAIRE *(suite)*	Mémo
176. Prescription et surveillance des diurétiques	
5 principales familles thérapeutiques de l'HT A	ABCDE
197. Douleur thoracique aiguë et chronique	
1. Les 4 premiers diagnostics à évoquer	PIED
2. Les 5 caractéristiques de la douleur	CARTE
3. Dissection aortique : classification de De Bakey	1=2+3
198. Dyspnée aiguë et chronique	
1. Les 4 stades de la classiffication NYHA	AIMeR 1234
2. Éléments thérapeutiques de l'O AP	ALORS
200. État de choc	
1. Les 4 types de choc	CASH
2. CAT devant un choc anaphylactique	MAROC
236. Fibrillation auriculaire	
Les 4 principes du traitement selon tolérance	AC
250. Insuffisance cardiaque de l'adulte	
1. Valeur de la FE	À la lettre
2. Éléments thérapeutiques OAP	ALORS
251. Insuffisance mitrale	
1. Les 5 principales étiologies de l'IM	DROIT
2. Les 3 objectifs de l'éc hographie	DST
274. Péricardite	
1. Triade clinique de la péricardite	FFT
2. Traitement de la péricardite aiguë virale	3A

Utilité (en examen ou pratique)	Pertinence	Visuel	Star Mémo
	++		
+++ ++	+++	- Anatomie coronaire - Coronarographie - Douleur thoracique : algorythme décisionnel - Les 5 éléments cliniques de l'IDM - ECG IDM - 3 schémas	Joe Dassin
		- Schéma mémo : les 4 principaux éléments diagnostiques	
++ ++			
+ +	+ +	Schéma mémo	
		- Tableau : principales causes à éliminer - Réflexes	

PLAN CARDIO-VASCULAIRE *(suite)*	Mémo
281. Rétrécissement aortique	
1. Les 4 principales étiologies du RA	RMC
2. Les 4 signes de gravité clinico-échographique	4S
3. Les 4 principales complications d'une v alve mécanique	DATE
284. Trouble de la conduction intracardiaque	
Bradycardie symptomatique : traitement dans l'or dre et en 3 étapes	AIE
309. ECG...	
1. Placement ...	*"Le soleil dans la prair steak sur la poêle*
2. Bases Analytiques	FRANCHIR
3. Fréquence Minute	300-150-100-70-6
4. Fréquence Max Théorique	220-Âge
5. Bloc de Branche	WiLLiaM MarroW
6. ECG et troubles métaboliques : Hyper K - Hyper CA	*"La tête pointue du gran élargit le curé"*
325. Palpitations syncopes	
Critères de gravité des ESV	5P
Médi-médocs	
1. Les 4 effets pharmacologiques potentiels d'un médicament car diotrope	C BiDoN
2. Effets du parasympathique sur le cœur	PARA-CHUTE
3. Classique action des digitaliques	3 R
4. Les 4 classes de medicaments anti-arythmique	Qui BCD
5. Les 5 principales indications des béta-bloquants	MATCH
6. Les 5 CI absolues aux béta-bloquants	BRADIcardie

Utilité (en examen ou pratique)	Pertinence	Visuel	Star Mémo
+++	++ +	- Placement des électrodes - Parallélisme anatomo-électrique - ECG : IDM - Évolution des différentes perturbations ECG en fonction du temps - Approche minute d'un ECG - Valeur du potassium & ECG normal	
	++		

- ITEM 80 -

ENDOCARDITE INFECTIEUSE

1) 5 principaux terrains à risque d'endocardite infectieuse : "D SLIP" :

Diabète

SIDA

Leucose

Immunodépresseurs

Postopératoire (0) : chirurgie cardiaque

Remarque :

- Une des questions favorites au concours avec également la tuberculose et la psychose maniaco-dépressive.
- A rapprocher des principaux terrains immuno-déprimés ("SIdi Dada") dans le chapitre tiroir.
- 2 maximes transmises de générations en générations : *"Toute fiè - vre chez un patient cardiaque est une endocardite jusqu'à preuve du contraire !"* (cf. endocardite, eembolie pulmonaire, péricardite, ...).

... et *"Tout AVC fébrile est une endocardite jusqu'à preuve du contraire !"*.

- 2 examens-clés :
  . 1 - Échographie

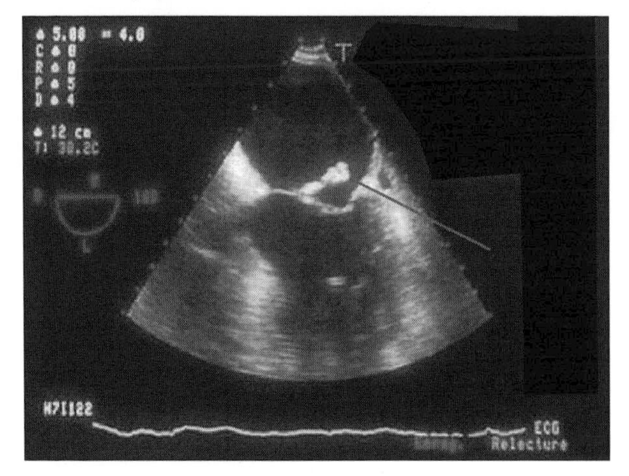

Endocardite infectieuse (EI) mitrale.

Végétation appendue à la face atriale de la grande valve en ETO (flèche)

. 2 - **Hémocultures** et **bilan infectieux complet** à la recherche d'une **porte d'entrée** (bilan ORL et stomatologique ++) (0).

- Face à un patient porteur de valve, n'oubliez jamais de faire un bilan ORL et stomatologique régulier, et penser à l'antibioprophylaxie de l'endocardite ! (0)
- Contre-indication des anticoagulants (héparine et AVK), si endocardite (sauf quelques rares cas).

2) Fréquence des valvulopathies sous-jacentes au cours des endocardites infectieuses : "AMIR"

A (aortique) > **M** (mitrale)

&

I (insuffisance) > **R** (retrecissement)

Par suite, épidémiologiquement, la probabilité de pathologies valvulaires dans un contexte d'endocardite est : AI > AR > MI > MR. La première valvulopathie à rechercher est donc l'insuffisance aortique et à l'inverse le Rétrécissement Mitral est très rare.

Remarque :

- AMIR équivalent à prince en arabe.
- Un mémo pour la route : Les 4 anomalies immunologiques au cours de l'EI sub-aigue : "3 CO-Facteur" CO-Facteur 3 (F et 3 CO). C01 : COmplexes immuns circulants. C02 : COmplément sérique (baisse). CO3 : CryOglobuline. Facteur : Facteur rhumatoïde
- L'endocardite est avant tout une pathollogie medicale et parfois chirurgicale (traitement d'une valvulopathie decompensee, ablation Concernant la chirurgie cardio-thoracique, notons que 10% des chirurgiens cardio-thoraciques sont des femmes.

- La féminisation de la profession est un fait :
  . 1875 : 1re femme francaise diplômée en Médecine (Madeleine Bres)
  . APHP : les femmes représentent 55% des effectifs médicaux (internes compris)
  . Sur les 42 000 PH du secteur public 47% sont des femmes
  . 25% des chirurgiens sont des femmes (avec 2 bastions testotéroniques : orthopédie & urologie (4% de chirurgiennes)

2) Les 3 germes les plus fréquents au cours de l'endocardite infectieuse "Anti-SSB (les)"

S : Staphylocoque

S : Streptocoque

B : BGN

Remarque :

Pour les adeptes de la mémoire visuelle, retenir le film "Du diagnostic au traitement" en imaginant le célèbre compositeur Autrichien Gustav Malher (1860-1911), décédant d'endocardite infectieuse à 52 ans ; c'est le cœur qui mit fin aux créations musicales de Mahler, et la redoutable maladie d'Osler (endocardite subaiguë) est toujours un combat difficile à gagner pour les bactériologistes....

Source : Isabelle Bricard. *Dictionnaire de la mort des grands hommes*. Paris, Le Cherche Midi Editeur, 1995

- ITEM 105 -
SURVEILLANCE DES PORTEURS DE VALVE ET DE PROTHÈSE VASCULAIRE

1) Valves "mEKAniques" : les 3 principes thérapeutiques réflexes : "EKA"

Education : cf. mémo Carracas (chapitre méthodologie)

K (vitamine) : surveillance des AVK (cf. INR entre 2 et 3) à vie

Antibioprophylaxie si geste invasif (dentiste, ...)

Remarque :

- Ne jamais oublier de faire un bilan ORL et stomatologique régulier (porte d'entrée), et penser à l'antibioprophylaxie de l'endocardite ! (0)
- Traiter une pathologie par une anti-coagulation au long cours (AVK) équivaut à "remplacer une maladie par une autre maladie" (cf. risques potentiels : traumatologique, surdosage).

2) Les 4 principales complications des prothèses valvulaires : "Prenez DATE"

Désinsertion

Anémie hémolytique

Thrombose

Endocardite

- ITEM 128 -
ATHÉROME : ÉPIDÉMIOLOGIE ET PHYSIOPATHOLOGIE - LE MALADE POLY-ATHÉROMATEUX

1) Facteurs de risque d'athérome : "C.ATHEROMES" :

Cholestérol (0) : LDL Cholestérol… "**L**ourd" de conséquences

Antécédents familiaux et âge : IDM chez un des parents avant 60 ans

Tabac (0)

HTA

Estrogène : femme (après la ménopause : les œstrogènes protègent de l'athérome)

Race : plus fréquent chez les noirs

Obésité

Masculin : (homme > 45 ans)

Exercice : vie sédentaire

Sucre : diabète (0)

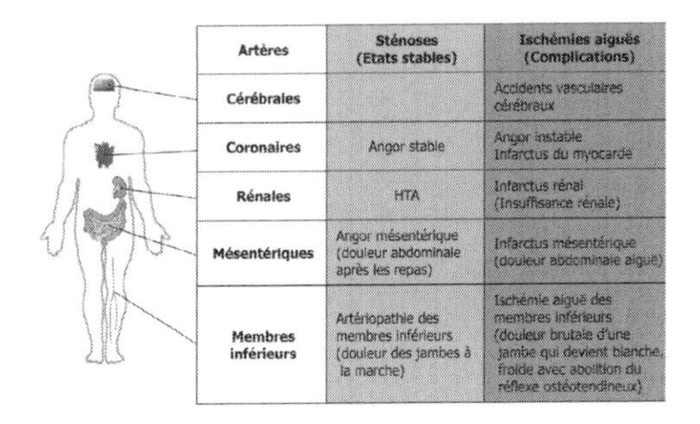

Artères	Sténoses (Etats stables)	Ischémies aiguës (Complications)
Cérébrales		Accidents vasculaires cérébraux
Coronaires	Angor stable	Angor instable Infarctus du myocarde
Rénales	HTA	Infarctus rénal (Insuffisance rénale)
Mésentériques	Angor mésentérique (douleur abdominale après les repas)	Infarctus mésentérique (douleur abdominale aiguë)
Membres inférieurs	Artériopathie des membres inférieurs (douleur des jambes à la marche)	Ischémie aiguë des membres inférieurs (douleur brutale d'une jambe qui devient blanche, froide avec abolition du réflexe ostéotendineux)

Remarque :

- Bien identifier les FDR **évitables** : **cholestérol** (régime pendant 3 mois puis discuter hypolipémiant en absence de résultats), **tabac**, **diabète**, HTA, obésité, **exercice**.
- Équivalence entre les facteurs de risque cardio-vasculaire : **"1 = 2 = 4 C. TACO"**. Le risque coronaire est modifié dans les mêmes conditions par :

  1 Cigarette par jour

  2 mmHg de pression systolique (**TA**)

  0,004 g/L de ChOlestérolémie.
- Objectif du LDL-c : 2,20g/L SANS autre facteur de risque (pensez "2 verres de vin" pour celui-là, comme il n'a pas d'autre facteur de risque !) puis retirer 0,3g/L comme objectif à atteindre pour chaque facteur de risque supplémentaire identifié.
- Pour retenir le caractère négatif des LDL/ HDL protecteur : *Ldl Decrease Life* ou LDL Lourd de conséquences.
- Si **coronaropathie, arrêt du tabac et de l'alcool** et également des **toxiques cardiaques** : cocaïne, médicaments (5-FU, anthracyclines...).
- Cholestérolémie normale : **"5-6 -7"** soit de **5** mmoles (ou moins) a **6,7** mmoles/l .
- L'athérome, pas tant une "maladie de civilisation", qu'une maladie **génétique** ? : l'analyse virtuelle des plus anciens corps connus à ce jour (les 44 momies de la haute société antique - vie sans tabac alimentation avec moins de graisse et de viande et vie beaucoup plus active - dont la reine égyptienne Ahmose Henutempet morte à la quarantaine, il y a environ 3600 ans) met en évidence de nombreuses lésions d'athérome.

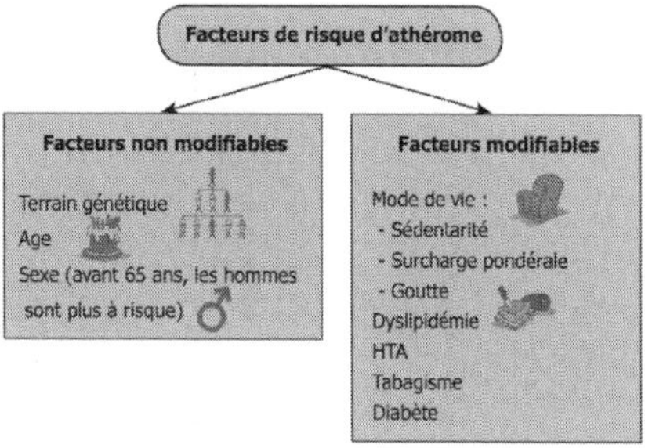

Facteurs de risque d'athérome

Facteurs non modifiables

Terrain génétique
Age
Sexe (avant 65 ans, les hommes sont plus à risque)

Facteurs modifiables

Mode de vie :
- Sédentarité
- Surcharge pondérale
- Goutte

Dyslipidémie
HTA
Tabagisme
Diabète

2) Bilan athéromateux : toujours rechercher 6 localisations particulières : les "6C"

Cornée (fond d'œil)

Carotide (doppler)

Coronaire (ECG - écho)

Calice rénal (auscultation, créatininémie)

Calcification anévrysme

Cheville : indice de pression systolique au doppler, bilan d'artérite...

Remarque :

Toujours faire un bilan complet devant un malade athéromateux, car les lésions multifocales et les associations sont très nombreuses :

- 50% des patients porteurs de lésions carotidiennes symptomatiques ont une coronaropathie avec lésions significatives
- 20 % des coronariens ont un anévrysme de l'aorte abdominale
- 15% ont une artérite des membres inférieurs sévère
- 10% ont des lésions carotidiennes significatives...

À l'ère de la prévention pour vos patients proposer une évaluation quantifiée de leur risque cardio-vasculaire. Calcul du risque coronarien quantifié (cf. p 21).

3) Les 3 classes d'hypolémiants : "SFR"

Statines (ex. : simvastatine, pravastatine,...)

Fibrates (ex. : fénofibrate)

Résines (colestyramine)

Remarque :

- Le tableau suivant, permet d'avoir une vision opérationnelle de l'action des 3 familles thérapeutiques sur les différentes cibles :

Comparaison de l'efficacité des médicaments			
	Diminution des **triglycérides**	Diminution du **choléstérol LDL**	Elévation du **choléstérol HDL**
Statines	+/-	+++	+
Fibrates	+++	+	++
Résine =	- élévation	+++	+

4) STATINES : 2 effets secondaires et 2 contre-indications : "HM-G COa"

1) Effets secondaires :

Hépatotoxicité (d'où un bilan hépatique à S2)

Myosite (rhabdomyolysis) : douleurs musculaires et crampes (cuisses et dorsaux) devant faire arrêter le traitement

2) Contre-indications :

Grossesse

COumarine (AVK) et dans un moindre intérêt cyclosporine : interaction médicamenteuse

- Rappel Statine = Inhibiteurs de l' HMG-CoA réductase.
- La myosite (pouvant même faire suspecter initialement une coxarthrose) est un symptôme relativement fréquent et doit faire arrêter le traitement (passer à une autre classe thérapeutique → SFR).
- Noter également l'interaction avec la Cyclosporine.

Lénine (1870-1924)

Toujours à gauche...

26 mai 1922 : Lénine présente une première attaque avec atteinte de l'hémisphère cérébral Gauche. Ceci engendre des troubles de l'élocution ainsi qu'une atteinte du bras et de la jambe droite.

Ses apparitions publiques se font dès lors beaucoup plus rares et en janvier 1924, il décède après trois récidives d'attaque cérébrale...

Source : The practitioner, avril 1970, vol 204.

- ITEM 129 -

FACTEURS DE RISQUE CARDIO-VASCULAIRE ET PRÉVENTION

L'objectif est de vous livrer un outil pratique qui vous sera d'un grand renfort dans votre pratique quotidienne.Ce tableau synthétique est la version européenne de l'étude américaine Framingham.

1. Scoring cardio-vasculaire

• 2 risques incompressibles

1. Âge

Âge en année	Points
35-39	0
40-44	6
45-49	11
50-54	16
55-59	21
60-65	26

2. Infarctus avant 60 ans chez un parent du 1er degré

NON 0 pt

OUI 4 pts

• 6 Facteurs compressifs

1. Fumeur durant les douze derniers mois

NON 0 pt

OUI 8 pts

2. TA

Systolique (mmHg)	Points
< 120	0
120-129	2
130-139	3
140-149	5
> 150	8

3. Diabète (type 2) : glucose > 1,2 g/l

NON 0 pt

OUI 6 pts

4. Cholestérol LDL (mauvais cholestérol)

Valeur en mmol/l	Points
< 2,60	0
2,60-3,35	5
3,36-4,12	10
4,12-4,89	14
> 4,89	20

5. Cholestérol HDL (bon cholestérol)

Valeur en mmol/l	Points
< 0,90	11
0,90-1,14	8
1,15-1,41	5
> 1,42	0

6. Triglycérides

Valeur en mmol/l	Points
< 1,13	0
1,13-1,68	2
1,69-2,25	3
> 2,25	4

Résultat global : _______ pts

INTERPRÉTATIONS DES RÉSULTATS

POINTS	% RISQUES à 10 ans	POINTS	% RISQUES à 10 ans
< 20	< 1	41	7
21	1,1	42	7,4
22	1,2	43	8
23	1,3	44	8,8
24	1,4	45	10,2
25	1,6	46	10,5
26	1,7	47	10,7
27	1,8	48	12,8
28	1,9	49	13,2
29	2,3	50	15,5
30	2,4	51	16,8
31	2,8	52	18,5
32	2,9	53	19,6
33	3,3	54	21,7
34	3,5	55	22,2
35	4	56	23,8
36	4,2	57	25,1
37	4,8	58	28,0
38	5,1	59	29,4
39	5,7	60	> 30
40	6,1		

- ITEM 130 -
HYPERTENSION ARTÉRIELLE DE L'ADULTE

A. DÉFINITIONS

1) Classification OMS : tableau

L'HTA non compliquée est parfaitement asymptomatique ("bombe à retardement" sur plusieurs organes).

	TA systolique (mmHg)	**TA diastolique** (mmHg)
TA **optimale**	<130	**< 85**
TA Normale	< 140	< 90
HTA légère	150 - 159	90 - 99
HTA modérée	160 - 179	100 - 109
HTA sévère	> 180	> 110

Remarque :

- Critères de définition d'une HTA maligne : TA diastolique > 130 mmHg, rétinopathie hypertensive stade IV au fond d'œil, OAP, insuffisance rénale aiguë rapidement progressive, encéphalopathie.
- Traitement des rares urgences hypertensives : inhibiteur calcique = Nicardipine IV (Loxen®).

2) Valeurs de la tension artérielle systolique maximale : "1, âge"

à 20 ans : 120 mmHg

à 50 ans : 150 mmHg

à 70 ans : 170 mmHg

et TA diastolique : toujours < à 90 mmHg quel que soit l'âge.

Remarque :

La TA augmente physiologiquement avec l'âge.

B. ÉTIOLOGIE

1) 3 grandes catégories étiologiques d'HTA secondaire : "AEI"

Artériel :
- à distance de l'effecteur rénal (coarctation aorte),
- en amont (sténose de l'artère rénale,)
- au niveau du parenchyme (néphropathie, polykystose).

Endocrinien :
- aldostéronisme primaire (adénome de Conn, hyperplasie bilatérale des surrénales, corticosurrénalome malin),
- pseudo-aldostéronisme primaire (phéochromocytome ou Cushing).

Iatrogène (cf. mémo) : réglisse, corticoïdes,...

Remarque :

- Une HTA se surveille et se suit essentiellement sur 4 données chiffrées objectives : TA (diastolique < 90) - FO (stade 3 ou 4 : attention risque HTA maligne) - Fraction éjection à l'écho cardiaque (normalement 60%) - Créatinémie.
- **Bilan minimal OMS** devant une HTA : Cholestérol total avec triglycérides, créatinémie, glycémie, hématocrite, BU, HLM (hématies et leucocytes minute : urinaires), ionogramme sanguin (kaliémie ++), uricémie.
- **Recommandés** : ECG, échocardiographie, fond d'œil, NFS, radiographie thoracique.

2) Les 6 principales causes d'HTA secondaire (5% des HTA) : "CoTAREG"

Coarctation de l'aorte

Toxique et médicamenteuse : cf. plus bas.

Alcool

Rein : HTA réno-vasculaires

Endocrinopathie : Conn, Cushing, phéochromocytome, hyperthyroïdie, acromégalie...

Grossesse

Remarque :

- 5 % des HTA.
- En pratique orientation rapide sur les ATCD, l'interrogatoire, et la bio (hyperK+).
- HTA endocrinienne : phéochromocytome : les 3 éléments clinique d'appel = classique triade de Ménard : **"CSP"** (... penser **C**atégorie **S**ocio**p**rofessionnelle) : **C**éphalées- **S**ueurs - **P**alpitations.

3) Les 7 principales causes médicamenteuses d'HTA secondaire : "CARACOS"

Corticoïdes (0)

AINS

Réglisse (0)

Alcool

Cocaïne & amphétamines

Oestro-progestatifs (0)

Sympathomimétiques

Remarque :

- Alternative "**CA G MIS SE**" : **C**ontraception orale - **A**INS - **G**lucocorticoïdes - **M**inéralocorticoïdes - **I**MAO - **S**ympathomimétiques - **S**téroïdes - **E**PO - Ciclosporine.

C. SURVEILLANCE & COMPLICATIONS

1) 4 principales localisations du retentissement viscéral de l'HTA : "4 C"

Cerveau (risque AVC x 7) : TDM si accident neurologique

Cornée (Œil) : Fond d'œil tous les ans pour suivre l'évolution

Cardio-vasculaire (risques : IC x 4 - IDM x 3 Artérite x 2) : TA, ECG, échocardiographie, traitement préventif des facteurs de risque cardio-vasculaires ++

Calice (rein) : surveillance créatinémie et kaliémie.

Remarque :

- Alternative : **"CROC"** : **C**erveau **R**ein **O**phtalmo **C**ardio-vasculaire.
- Alternative n°2 : **"CACARO"** : **C**œur - **A**rtères MI - **C**erveau - **A**orte (AAA,DA) - **R**ein - **O**eil
- Apprécier le retentissement avec **4 chiffres** : **TA, FO, Créatinémie, Fonction VG.**
- Les pathologies à rechercher de façon exhaustive **"CARDIAC"** :
  . **C**œur (0) : coronaropathie, insuffisance cardiaque, dyspnée d'effort...
  . **Anévrysme** (aorte abdominale)
  . **R**ein (0) : néphroangiosclérose...
  . **D**issection
  . **I**ris (0) : rétinopathie (fond d'œil ++)
  . **A**rtérite (membres, carotides, artères cérébrales)
  . **C**érébral (0) : AVC hémorragique, AVC ischémique, encéphalopathie.
- Surveillance d'une HTA.

Conséquences et surveillance

Organe cible	Conséquences	Surveillance
Cerveau	AVC	- Interrogatoire : recherche de déficits transitoires en faveur d'AIT. - Palpation et auscultation des artères carotides (recherche d'un souffle). - Echo doppler des vaisseaux du cou.
Œil	Rétinopathie hypertensive	- Acuité visuelle. - Fond d'oeil et angiographie à la fluorescéine.
Cœur	Maladie coronarienne (via l'athérome) Cardiopathie hypertensive	- Interrogatoire (dyspnée, angor...) - ECG, échographie cardiaque, radio de thorax.
Rein	Insuffisance rénale HTA rénovasculaire (aggrave l'HTA existante).	- Créatininémie, koliémie, bandelette urinaire, protéinurie des 24 heures.
Aorte	Anévrisme et dissection	- Interrogatoire (douleur). - Palpation abdominale. - Échographie.
Membres inférieurs	AOMI	- Interrogatoire : douleur de claudication. - Palpation & auscultation des axes artériels - Écho-doppler des artères des membres inférieurs.

- Connaître le tableau de **l'HTA maligne** : TA diastolique > 130 mmHg, stade IV au FO, OAP, insuffisance rénale aiguë, encéphalopathie.

2) Rétinopathie hypertensive : signes évolutifs au fond d'œil : "RHONE"

Rétrécissement artériel

Hémorragies rétiniennes

Oedème papillaire

Nodules cotonneux

Exsudats

D. THÉRAPEUTIQUE

1) Règles hygiéno-diététiques devant une HTA : "PASTA"

Poids (réduction pondérale)

Activité physique régulière (> 30 min de marche 3 x/semaine)

Sel à diminuer

Tabac : arrêter

Alcool : arrêter.

2) Les 5 principales familles thérapeutiques de l'HTA : "ABCDE"

ARA II (antagonistes des récepteurs de l'angiotensine II)

Bêtabloquants

Calciques inhibiteurs

Diurétiques

Enzyme de conversion (inhibiteurs de l')

Remarque :

- Le traitement diététique doit être également rappelé (arrêt du sel) de même que le traitement des autres FDR cardio-vasculaires.
- La monothérapie en première intention (le choix de la famille dépend de l'âge des CI, des pathologies associées....), et bithérapie si échec.

Le schéma suivant (HAS) montre les associations de classes thérapeutiques recommandées :

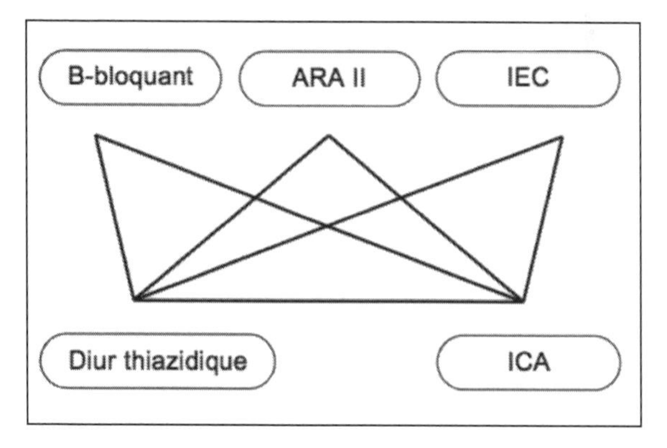

La HAS conseille la stratégie d'adaptation du traitement suivante :

- Débuter par une **monothérapie** ou une association fixe d'antihypertenseurs à doses faibles (ayant l'AMM en première intention pour l'indication HTA).
- En cas de réponse tensionnelle insuffisante au traitement initial : bithérapie en deuxième intention dans un délai d'**au moins 4 semaines.**
- Instaurer une bithérapie dans un délai plus court si :
- PA 180-110 mmHg
- PA de 140-179/90-109 mmHg avec un RCV élevé.

Après 4 semaines d'un traitement initial :

- si l'objectif tensionnel est atteint, le traitement est reconduit,
- en cas d'absence totale de réponse à ce traitement ou d'effets indésirables, il est recommandé de changer de classe thérapeutique.

3) Mémos "Pharmacologie" à géométrie variable :

Dérivés nitrés : principaux effets secondaires : "SCHMIT"

Syncope

Céphalée (0) (fréquent ++)

Hypotension (0) (jamais de dérivé nitré si TAS < 100 mmHg !)

Méthémoglobinémie (rechercher systématiquement une méthémoglobinémie devant une cyanose chez un patient sous dérivés nitrés)

Ischémie cérébrale (par hypotension)

Tachycardie réflexe

Inhibiteurs calciques : indications et contre-indications : *"Il est bien connu que les gens qui travaillent à l'HAS sont plutôt gros (= BIG)"*

Indications : "HAS"

Hypertension artérielle

Angor spastique

Syndrome de Raynaud

Contre-indications : "BIG"

Bloc Auriculo-ventriculaire

Insuffisance cardiaque congestive

Grossesse et allaitement

STAR-MÉMO :

Franklin Delanoe Roosevelt (1882-1945)

Grand fumeur, Franklin. D. Roosevelt (1882-1945) ne présentera ni infarctus, ni cancer (poumon, vessie...), mais une hypertension artérielle vers la cinquantaine. Cette HTA non contrôlée engendrera son décès 10 ans plus tard à 63 ans. Notons qu'à l'époque la relation de cause à effet entre consommation de tabac et accident vasculaire n'était pas établie, et par suite les médecins fermaient les yeux sur cette toxicomanie encore ignorée.

- ITEM 131a -

ARTÉRIOPATHIE OBLITÉRANTE DE L'AORTE ET DES MEMBRES INFÉRIEURS, ANÉVRYSMES

A. AOMI

1) Apparition chronologique des symptômes dans une artérite des membres inférieurs : "4P"

Pouls (absence de) ; la baisse de pulsatilité est le meilleur signe d'atteinte artérielle

Pain (douleur) : claudication intermittente à la marche (périmètre de marche ++)

Pâleur

Paralysie et paresthésies : signes de gravité (atteinte neurologique).

Remarque :

- Toujours rechercher une autre localisation athéromateuse, car souvent associée à une coronaropathie et/ou des lésions carotidiennes.
- **Indice de pression systolique (IPS) : 0,9 - 1,3.**

- Concernant les AOMI, 4 réflexes minutes :
  . examen clinique bilatéral et comparatif
  . ECG, artériographie ou angio-IRM
  . arrêt des bêta-bloquants et médicaments à risque
  . revasculariation en urgence : angioplastie endoluminale percutanée ++.
- 4 axes thérapeutiques "**CREM**" : **C**hirurgie (pontage veineux, amputation...) - **R**ééducation (marche, lutte contre l'ankylose...) - **E**ndovasculaire (angioplastie + stent / endartériéctomie / pontage) - **M**édicaments.

2) Classification de Leriche & Fontaine : "AMD T"

Asymptomatique

Marche (périmètre de marche) : claudication intermittente des membres inférieurs

Décubitus (douleur permanente en décubitus)

Trophique (nécrose, gangrène) : état cutané en aval.

Remarque :

- Prévalence : **4** % des plus de **40** ans...
- Pour le bilan, l'imagerie est reine : écho-doppler artériel (connaître l'indice de pression systolique (normal : entre 0,9 et 1,3) et artériographie.
- Le traitement est double (1. L'oblitération mécanique **locale** et 2. L'artériopathie dans sa **globalité**. Il révèle du bon sens (sang !) en 5 points :
  1. **Fluidifier** (aspirine ou antiagrégants plaquettaires, vasoactifs, anticoagulants) → Antiagrégant : Ticlid® : 400 mg/j - ou Plavix® : Clopidogrel 75mg/j ; Vasodilatateur : Praxilène® : 400 mg/j - ou Fonzylane®.

2. **Dilatation artérielle** médicamenteuse et **rééducation** (marche, lutte contre l'ankylose...).
3. Pas de **iatrogénie** (cf. beta -).
4. Rétablissement mécanique du flux
   . si bon lit d'aval : angioplastie
   . si mauvais lit d'aval chirurgie (endarterectomie, pontage veineux...) → amputation (si stade IV) en dernier recours.
5. Traiter les FDR vasculaires.

- Traitements proposables selon les 4 stades évolutifs .

Méthodes	Stade évolutif			
	1	2	3	4
Règles hygiéno-diététiques	+	+	+	+
– Arrêt total du tabac	+	+	+	+
– Marche	+	+	+	+
– Traitement obésité, HTA, dyslipidémie, diabète	+	+	+	+
Médicaments		+	+	+
– Vasodilatateurs		+	+	+
– Anti-agrégants		+	+	+
Chirurgie réparatrice vasculaire			+/-	+

STAR-MÉMO :

Louis XIV (1638-1715)

Le Roi de France à l'époque de l'apogée de la civilisation francaise était un adepte de la bonne chère... Rien d'étonnant à l'avènement d'une artérite (et probablement d'un diabète non insulino-dépendant), qui au soir de sa vie à 77 ans engendra au membre inférieur une gangrène mortelle.

Honoré de Balzac (1799-1850)

Malade de toujours, Balzac termine sa vie rongé par "l'hydropisie et la gangrène" liées à son artérite, soucieux principalement de ne plus pouvoir écrire...

- ITEM 131b -

ANÉVRYSME DE L'AORTE ABDOMINALE

A. ANÉVRYSMES

Anévrysme de l'aorte abdominale : dilatation localisée de l'aorte avec perte du parallélisme des parois, dont le diamètre dépasse 30 mm (diamètre normal de l'aorte abdominale : 2 cm au niveau du tronc cœliaque, 1,8 cm au niveau des artères rénales).

1) Les 5 signes cliniques caractéristiques à rechercher devant une suspicion d'anévrysme aortique : *"Ma pustule est un médicament"*

Masse

Pulsatile

Expansive

Indolore

Médiane

- Normalement chez un sujet non maigre, l'artère abdominale n'est pas palpable (si moindre doute : écho abdominale).

- Pour mémoire... Indications de traitement d'un anévrysme de l'aorte abdominale :
  . anévrysme volumineux (diamètre supérieur ou égal à 5 cm)
  . anévrysme rapidement évolutif (+ 1 cm en 1 an)
  . anévrysme symptomatique ou compliqué.

2) Les 4 principales complications de l'anévrysme de l'aorte abdominale : "RICE"

Rupture : dans les organes de proximité : péritoine intra et, retro-péritoine, duodénum, veine cave

Infection par greffe bactérienne

Compression : duodénum, VCI, nerveuse, uretère, vertèbre

Embolies : proximale et distale.

Remarque :

Le risque de complications justifie le traitement :
- aspirine (risque thrombotique)
- prise en charge des autres FDR athéromateux
- chirurgie si complications ou extension rapide ou taille déjà > 5,5 cm : laparotomie médiane, greffe d'une prothèse de Dacron, fermeture de l'anévrysme.

Star-Mémo :

Charles De Gaulle (1890-1970)

Sur la fin de sa vie, le général de Gaulle se plaignait de douleurs thoraciques et abdominales diffuses résistantes aux traitements anti-angineux (contre l'angine de poitrine) usuels.

Le 9 novembre 1970, en fin de journée, après avoir écrit une partie de ses mémoires, il débute une réussite, puis se plaint d'une douleur dans le dos, et perd connaissance. Il décède quelques minutes plus tard d'une rupture d'un anévrysme de l'aorte abdominale. Il est enterré à Colombey-les-deux-Églises.

À noter que certains auteurs se sont interrogés sur l'éventualité d'une maladie de Marfan (grande taille, pathologie du tissu conjonctif associant : signes squelettiques, oculaires – cataracte – et atteinte cardio-vasculaire – anévrysme...).

Contrairement à d'autres célébrités suspectes (Paganini, Liszt, Abraham Lincoln...), pour le Général, cela semble néanmoins peu probable. Ah, ces Grands Hommes... !

Source : *Les mots du cœur*, de C. Régnier et B. Halioua - Laboratoires Pfizer.

- ITEM 132 -
ANGINE DE POITRINE ET INFARCTUS MYOCARDIQUE

1) Les 5 principales caractéristiques de la douleur angineuse : "CARTE" :

Constrictive

Arrêt (cède à) de l'effort

Rétro sternale

Trinitro-sensible

Effort (apparaît à)

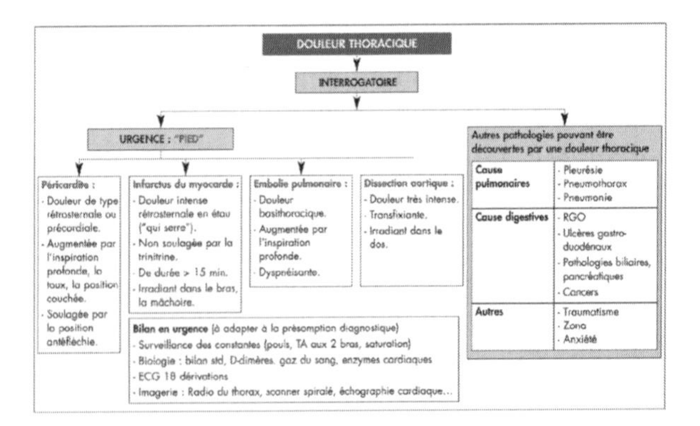

Remarque :

- Dans 10%des cas, l'infarctus se constitue sans douleur (cf. neuropathie diabétique...).
- ECG : normal dans 15-20% des cas au début.

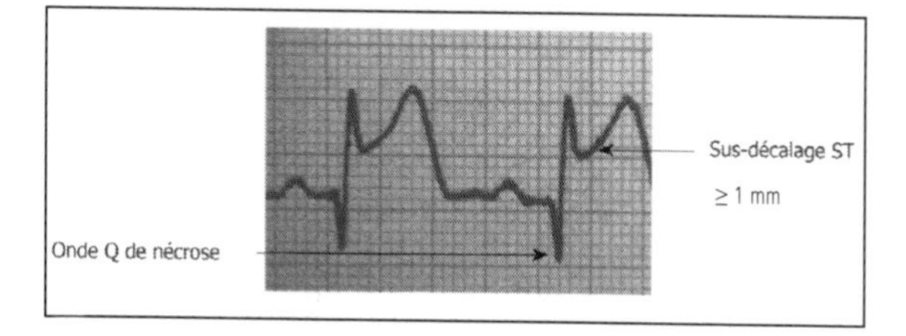

2) Les 5 entités de l'angor instable : "PRINCzmental"

Prinzmetal (à traiter par **inhibiteur calcique** : jamais de bêtabloquants)

Repos : "spontané" (sans notion d'effort déclenchant)

Inaugural : angor apparu depuis moins d'1 mois

Novo

Crescendo : crises plus fréquentes, plus prolongées (> 10 min)

Remarque :

- 50% des IDM sont inauguraux de la maladie athéromateuse (approche globale). L'IDM signe la nécrose du muscle, l'angor la souffrance myocardique.
- Le syndrome de menace est une urgence thérapeutique car risque de mort subite (trouble du rythme) ou d'évolution vers un infarctus constitué.

- Les 4 éléments cliniques de l'IDM :

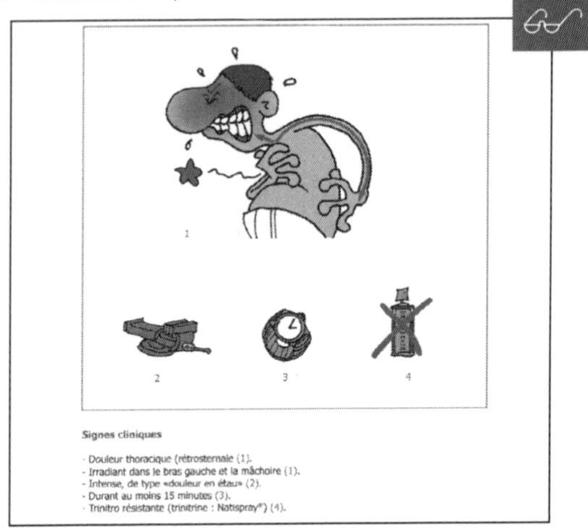

Signes cliniques

- Douleur thoracique (rétrosternale (1).
- Irradiant dans le bras gauche et la mâchoire (1).
- Intense, de type «douleur en étau» (2).
- Durant au moins 15 minutes (3).
- Trinitro résistante (trinitrine : Natispray®) (4).

3) Chronologie des 4 pics enzymatiques : "Mon Cœur Trop Lâche"

Myoglobine

CPK-MB

Troponine : en pratique déterminant (résultat en 20 min)

LDH

Remarque :

- En pratique : faire prélever la troponine spécifique en surveillant l'évolution (cycle de troponine)

	Délai de détection sérique
Myoglobine	3h
Troponine I	4h
CPK-MB	5h
CPK	6 (à 8)h

- Concernant l'apport diagnostique de l'ECG (l'autre examen-clé), maîtriser les 3 éléments suivants (sus-décalage ST ≥ 1 mm et onde Q) :

- Sus-décalage ST et onde Q :

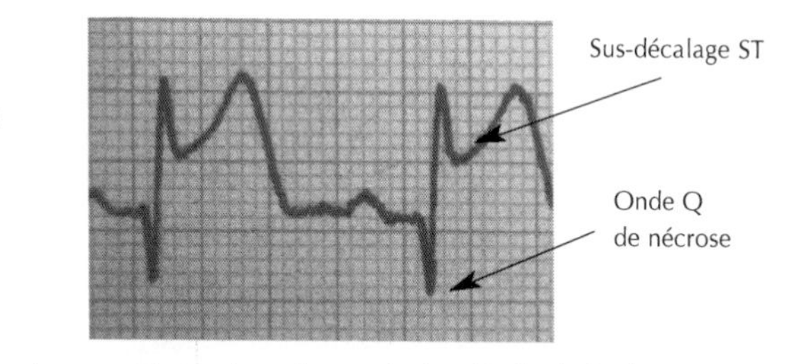

Infarctus du myocarde en phase de constitution (Onde de Pardee : sus-décalage de ST englobant l'onde T et onde Q profonde

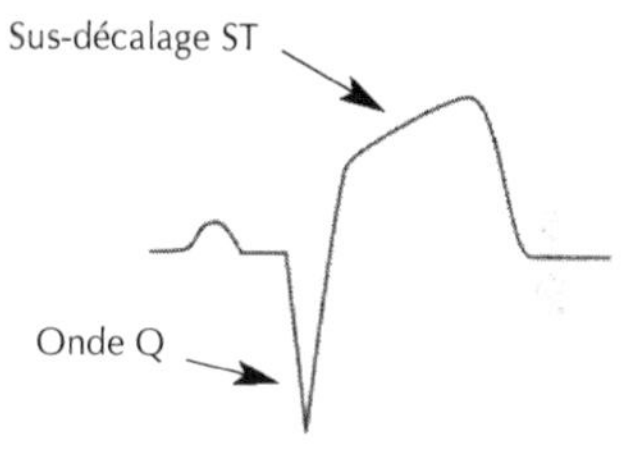

Infarctus du myocarde

- Évaluation selon le temps :

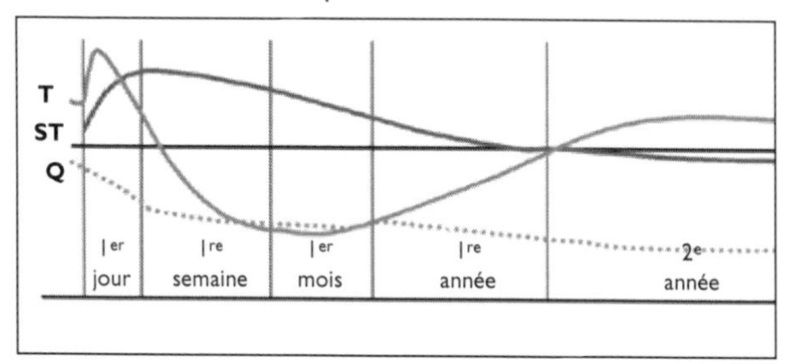

4) SCA avec ST+ : prise en charge thérapeutique en 1re intention à domicile en attendant la revascularisation : "MONA. B"

- **M**orphine IV (titration 1 mg/ml = 1 ampoule de 10 mg diluée dans 10 cc) : commencer par 2 mg si douleur > 6/10 sur l'échelle de douleur (Narcan à proximité).
- **O2** ...(maintenir une saturation >95%)
- **N**itrés : spray (inefficacité = valeur diagnostique) et IVSE 1 mg/h (intéressant si douleur constrictive car actif en diminuant la précharge sanguine). Noter que les nitrés sont CI si TAs < 100 mmHg et qu'ils ne sont pas indiqués si IDM du ventricule droit (valeur de la symptomatologie & ECG).
- **A**spirine (en pratique : 100 a 300 mg per os immédiatement) ; également discuter avec le cardiologue l'Anticoagulation (Plavix-Cloprodigel & Héparine) en fonction de la stratégie thérapeutique (délai d'accès à un centre d'angioplastie versus fibrinolyse.
- **B**êta-bloquant en absence de CI (ex : IDM inférieur avec souvent bradycardie associée) si possible après avis cardiologique.

Complications de l'IDM

Hémodynamiques	Œdème aigu pulmonaire Choc cardiogénique
Électriques	Troubles de la conduction (Blocs auriculoventriculaires)
	Troubles du rythme : - Auriculaires : Extrasystoles Tachycardie - Ventriculaires : Fibrillation Tachycardie Rythme idio-ventriculaire accéléré
Mécaniques	Insuffisance mitrale ischémique Rupture mitrale Rupture ventriculaire
Péricardite	

Toutes ces complications peuvent conduire au choc cardiogénique et au décès (40% de la mortalité se concentre dans la première heure : *"Time is muscle"*). Globalement **15% de mortalité à J15.**

Remarque :

- Revascularisation coronaire : coronarographie (et pose d'un Stent si indication) ou thrombolyse.
- et bien sûr : Samu, hospitalisation en urgence en USIC et à proximité d'un centre d'angioplastie.
- Surveillance : clinique (diminution de la tachycardie et de l'HTA), électrique (ECG) et biologique (enzymes, anti coagulation).
- Classique adage : *"Pas d'IM dans un IDM"*.
- **Choix entre angioplastie primaire et thrombolyse :**

→ préférer la **thrombolyse :**

. en l'absence de contre-indications **absolues** ++, essentiellement : Trouble de l'hémostase quantitative (cf. thrombopénie) ou qualitative (cf. TP-TCA), chirurgie majeure dans les 21 jours précédents, traumatisme crânien de moins de 1 mois, saignement gastro-intestinal de moins de 1 mois, AVC depuis moins de 6 mois ; **voire de CI relatives** (HTA non contrôlée : PAS > 200 ou PAD > 100 mmhg), tumeur cérébrale, chirurgie récente.

. si prise en charge très précoce : dans les **3 premières heures ++** (si la douleur a débuté depuis plus de 3 heures, on préfèrera l'angioplastie transluminale, mais la thrombolyse reste réalisable en première intention jusqu'à la 12e heure si le délai d'acheminement vers la salle de cathéter est supérieur à 90 minutes).

→ préférer l'**angioplastie** primaire :
. en première intention si le délai d'acheminement vers la salle de cathéter est inférieur à 90 minutes
. si contre-indication à la thrombolyse
. si échec de la thrombolyse : angioplastie de sauvetage
. si infarctus compliqué de choc cardiogénique ou de complications mécaniques
. si doute diagnostique (douleur thoracique évocatrice chez un patient présentant un bloc de branche gauche ou un pacemaker.)

Technique de l'angioplastie

① 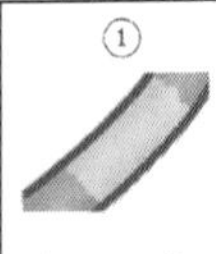
Sténose complète par thrombus

② 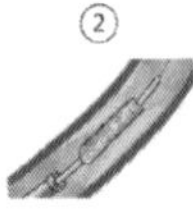
Montée du guide et du stent

③ 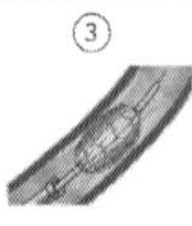
Gonflement du ballonnet et libération de la lumière artérielle

④ 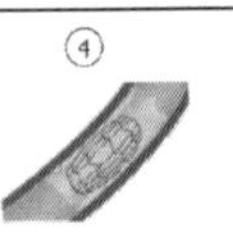
Retrait du guide et mise en place du stent

Star-Mémo :

Yves Montand (1921-1991)

L'acteur de "Jean de Florette" décède brutalement en novembre 1991 d'un infarctus du myocarde, alors qu'il incarne justement un personnage mort d'infarctus, dans IP5, de Jean-Jacques Beinex.

Source : *Les mots du cœur*, de C. Régnier et B. Halioua - Laboratoires Pfizer.

5) Localisation d'un IDM : "SAL2"

Onde Q & élévations ST jumelées à leur emplacement classique, orientent sur la localisation physique de l'IDM **(dérivations précordiales)** :

- V1 **S**eptal (IVA)
- V2 **S**eptal (IVA)
- V3 **A**nterior (IVA et/ou IVP)
- V4 **A**nterior (IVA et/ou IVP)
- V5 **L**ateral (cX ou l'IVA)
- V6 **L**ateral (cX ou l'IVA)

on peut ajouter le E pour antérieur Etendu (de V1 à V6)

Remarque :

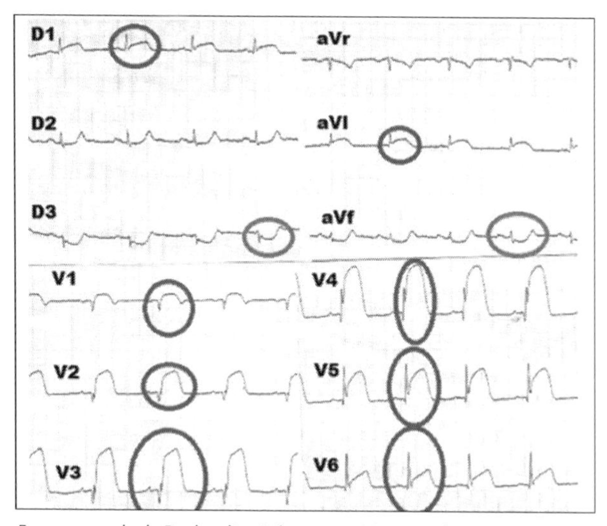

En rouge, onde de Pardee d'un infarctus antérieur étendu, en vert, le miroir inférieur.

6) Principes du Traitement de sortie post-IDM en 6 points : "ABCDEF"

Antiagrégant plaquettaire : **A**spirine (0) + Clopidogrel (Plavix®) pendant 1 an

Bêta-bloquant (0) cardio-sélectif

Cholestérol (0) : Statine

Dérivés nitrés en spray : Natispray® Fort à la demande en cas de crise

Enzyme de conversion inhibiteur (IEC) : introduits dans les 48 premières heures.

FDR (tabac / surpoids / diabète / HTA)

- 4 médicaments dans l'ordonnance de sortie ("BASIc") au long court : **B**êtabloquant **A**spirine **S**tatine **I**EC **C**lopidrogel.
- À la demande (TNT spray).
- Éducation essentielle ("Lifestyle" : activité physique régulière...) pour éviter tous les FDR. Vie anti-stress (facteur de risque secondaire).
- Prise en charge à 100%.
- Sans oublier :
  . rééducation cardiaque après la sortie
  . suivi régulier par le médecin traitant et/ou cardiologue.

Alternative mémo : Traitement de fond de l'angor stable, à vie : **"BASICO" : B**bloquant - **A**spirine - **S**tatines - **I**nhibiteur de l'enzyme de conversion - **C**ontrôle des facteurs de risques cardio-vasculaire (TA, glycémie, lipides, arrêt tabac, règles hygiéno-diététiques - **O**mega 3 (efficacité remise en cause en 2012).

- En précisant : si douleur persistante : 1 Arrêt effort 2 TNT sublinguale 3 consulter aux urgences.

- ITEM 135 -

THROMBOSE VEINEUSE PROFONDE ET EMBOLIE PULMONAIRE

1) TVP : les 3 axes étiologiques : "CSP"

Coagulation : trouble hémostase, protéine C, protéine S, chirurgie gynécologique et traumatologique, maladies de système

Stase veineuse : alitement ou immobilisation prolongée (plâtre,...), voyage prolongé, femme enceinte, insuffisance organique (cardiaque, hépatique, rénale) ou syndrome néphrotique

Paroi : syndrome néoplasique, cancers (gynéco et digestif en particulier).

Remarque :

- Classique triade de Wi rchow (3 facteurs favorisant la thrombose)
- Devant une suspicion d'EP - scintigraphie de ventilation - perfusion/angio-scanner thoracique spiralé + D-Dimères + écho doppler veineux des membres inférieurs.
- Les causes détaillées à rechercher : **"THROMBOSERAS"**
- Trouble de l'hémostase
  . **H**émopathies, cancers et maladies de système (lupus...) (0)
  . **R**epos : alité ou immobilisation prolongée (plâtre, attelle...) (0)
  . **O**pération : en particulier chirurgie gynécologique et traumatologique (0)

. **M**édicament (0) (œstro-progestatif, diurétique, anti-coagulation préventive insuffisante, thrombopathie à l'héparine, prothèses vasculaires...)

. **B**ronchopneumopathie chronique

. **O**bésité (ou à l'inverse état d'hyper-catabolisme)

. **S**tase veineuse (0) : insuffisance veineuse et varices, insuffisance cardiaque congestive

. **E**nceinte

. **R**énale : syndrome néphrotique

. **A**ntécédents de thrombose veineuse ou d'embolie pulmonaire (0)

. **S**yndrome de Cockett : compression veine iliaque gauche par l'artère iliaque droite.

- Alternative mémo :
Score de Wells (évaluation probabilité clinique d'EP devant une douleur thoracique ou une dyspnée) **"PAC CHAT"**

. **P**ouls >100 +1.5

. **A**tcd (de TVP ou EP) +1.5

. **C**hirurgie ou immobilisation +1.5

. **C**ancer +1

. **H**émoptysie +1

. **A**lternative moins probable +3

. **T**VP (signes de...) +3

2) Traitement de l'Embolie Pulmonaire : "Règle des 5"

Héparine : charge	50 UI/kg (IVD) puis
Héparine : entretien	500 UI/kg/j

TCA	5e heure
Relais AVK	5e jour
Traitement par AVK	5e mois

Remarque :

- Les 4 principes du traitement d'une EP : "COLA" : Contention veineuse (bas de) - Oxygénothérapie - Levée d'obstacle (Chiru rgie) - Anti-coagulation héparinothérapie (voire fibrinolytique) puis AVK.
- Discuter également un traitement préventif complémentaire (cf. pose d'un clip si risque de migration d'autres thrombus,....).

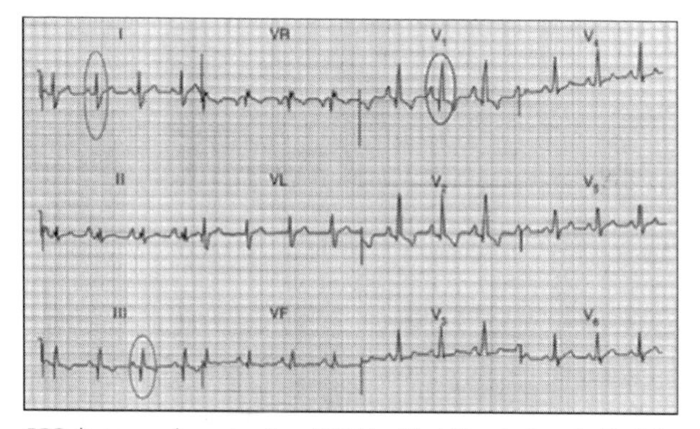

ECG de cœur pulmonaire aigu : S1Q3 (en bleu) Bloc de Branche Droit (en rouge).

- ITEM 175 -
PRESCRIPTION ET SURVEILLANCE D'UN TRAITEMENT ANTI-THROMBOTIQUE

1) Les 3 Agents thrombolytiques : "USA"

Urokinase

Streptokinase

Altéplase (tPA)

Remarque :

Dans les 6 premières heures, selon un vaste essai, l'effet de réduction de la mortalité peut être considéré comme équivalent entre l'altéplase (Actilyse®) et la ténectéplase (Metalyse®), et les effets indésirables graves sont à peu près identiques. La ténectéplase a l'avantage de la simplicité d'une administration en injection unique (*Prescrire* 2002 ; 22 (226) 188-190).

2) Les 4 critères de re-perfusion : "AREST"

Arrêt de la douleur

RIVA (rythme idio-ventriculaire accéléré) : pas de traitement de cette arythmie

Enzymes : pic précoce

ST : évolution du ST vers la normalisation (régression d'au moins 50% du sus-décalage)

Remarque :

- Concernant **l'anti-coagulation** : toujours préciser si préventive ou curative.
- Jamais de vitamine K en IVD (sinon : décès !).

3) Traitement de la phlébite : "HBPM"

Héparine à dose efficace : INR cible : 2-3 (durée du traitement : 6 semaines si TVP ou EP avec cause réversible (plâtre...) ; 6 mois si TVP ou EP sans cause retrouvée ; à vie si cause non curable (cancer) ou si récidive

Bas de contention

Pilule : arrêt des œstroprogestatifs et prise en charge des autres facteurs de risque (tabac, plâtres...)

Mesures associées : repos au lit 48 h au moins puis lever autorisé sous réserve de l'anti-coagulation efficace et des bas de contention ; traitement symptomatique (antalgiques, arceau sur les jambes, oxygénothérapie si EP...).

Remarque :

- Le meilleur traitement est **préventif** !! (Mobilisation active et passive en post-opératoire et post-partum ; Lever précoce ; Contention veineuse ; Anti-coagulation préventive par HBPM adaptée selon le risque thromboembolique : Lovenox® SC 0,2ml/j si risque modéré ou 0,4ml/jr si risque élevé ; avec surveillance NFS/plaquettes hebdomadaire).
- Concernant l'anti-coagulation, en fonction du terrain et du bilan, un traitement a base d'héparine (généralement HBPM type Lovenox® en SC) est initié et relais (généralement 6 mois) par AVK (protocole d'instauration à parfaitement maîtriser) Le tableau suivant permet de bien maîtriser la pharmacologie des 3 types de molécules.

Héparine : charge	50 UI/kg (IVD) puis
Héparine : entretien	500 UI/kg/j

TCA	5e heure
Relais AVK	5e jour
Traitement par AVK	5e mois

- Si **Allergie à l'héparine** :
  . TIH 1 : **précoce** (J5 - J21), **grave** : arrêt immédiat de l'héparine !
  . TIH 2 : **tardive**, moins grave
  . héparinoïdes de synthèse : Orgaran®.
- Qui dit TVP - EP dit : anti-coagulation (curative puis préventive) + scintigraphie de ventilation / perfusion.

- ITEM 176 -
PRESCRIPTION ET SURVEILLANCE DES DIURÉTIQUES

Les 5 principales familles thérapeutiques de l'HTA : "ABCDE"

Antagonistes des récepteurs de l'angiotensine II (ARA II)

Bêtabloquants

Calciques inhibiteurs

Diurétiques

Enzyme de conversion inhibiteurs.

- ITEM 197 -
DOULEUR THORACIQUE AIGUË ET CHRONIQUE

DOULEUR THORACIQUE & SYNDROME CORONARIEN AIGUS (SCA ST+ & ST -)

Noter les **principales Urgences vitales en cardiologie** : IDM et angor, dissection aortique, péricardite, embolie pulmonaire, tachycardie ventriculaire et fibrillation ventriculaire. avec l'OAP (IC aiguë) comme aboutissement classique.

1) Douleur Thoracique : les 4 diagnostics urgents (risque vital) à évoquer : "PIED"

Péricardite : vérifier les contextes particuliers (radiothérapie, insuffisance rénale terminale,...) avant d'évoquer la péricardite aiguë virale (jeune, fièvre,...)

Infarctus (et insuffisance coronarienne aiguë : angor)

Embolie pulmonaire

Dissection aortique (prendre la TA à chaque bras !).

Remarque :

- Un mémo millésimé, dont l'intérêt pratique persistera même au XXIIe siècle.
- Savoir bien sûr éliminer les pathologies pulmonaires (pneumopathie, PNT, pleurésie) et de voisinage (pancréatite, ulcère,...).

Rappel

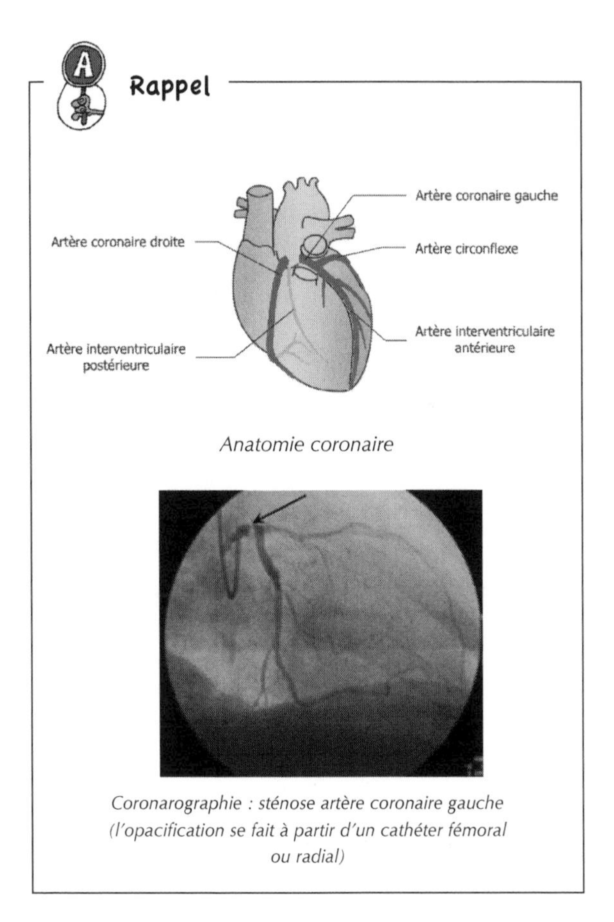

Anatomie coronaire

Coronarographie : sténose artère coronaire gauche (l'opacification se fait à partir d'un cathéter fémoral ou radial)

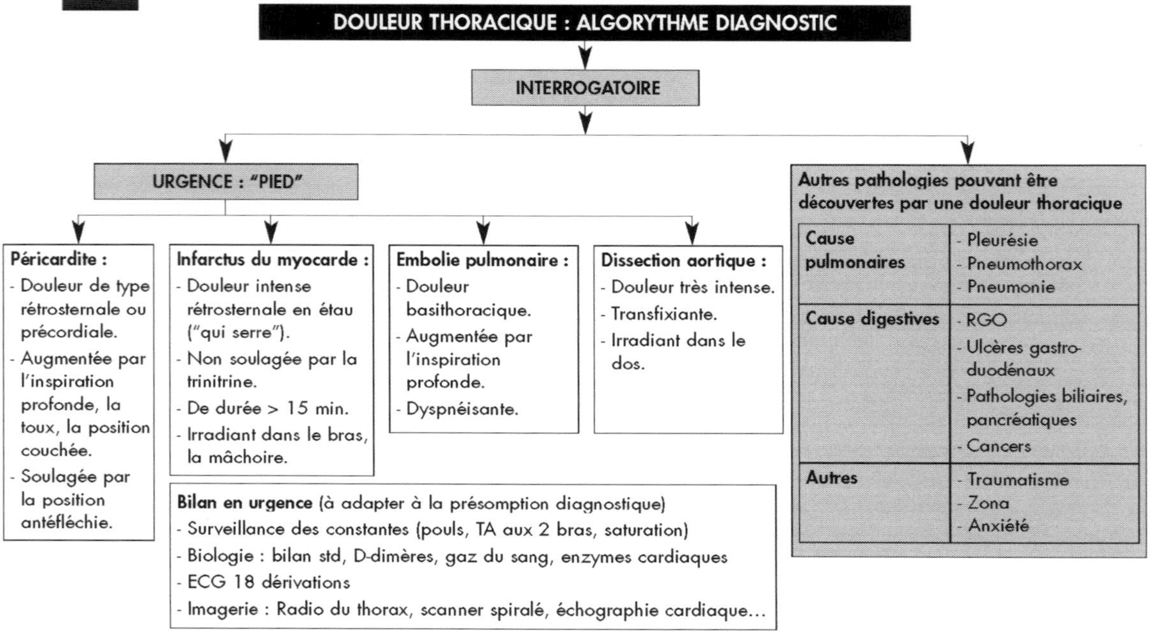

DOULEUR THORACIQUE : ALGORYTHME DIAGNOSTIC

INTERROGATOIRE

URGENCE : "PIED"

Péricardite :
- Douleur de type rétrosternale ou précordiale.
- Augmentée par l'inspiration profonde, la toux, la position couchée.
- Soulagée par la position antéfléchie.

Infarctus du myocarde :
- Douleur intense rétrosternale en étau ("qui serre").
- Non soulagée par la trinitrine.
- De durée > 15 min.
- Irradiant dans le bras, la mâchoire.

Embolie pulmonaire :
- Douleur basithoracique.
- Augmentée par l'inspiration profonde.
- Dyspnéisante.

Dissection aortique :
- Douleur très intense.
- Transfixiante.
- Irradiant dans le dos.

Bilan en urgence (à adapter à la présomption diagnostique)
- Surveillance des constantes (pouls, TA aux 2 bras, saturation)
- Biologie : bilan std, D-dimères, gaz du sang, enzymes cardiaques
- ECG 18 dérivations
- Imagerie : Radio du thorax, scanner spiralé, échographie cardiaque...

Autres pathologies pouvant être découvertes par une douleur thoracique

Cause pulmonaires	- Pleurésie - Pneumothorax - Pneumonie
Cause digestives	- RGO - Ulcères gastro-duodénaux - Pathologies biliaires, pancréatiques - Cancers
Autres	- Traumatisme - Zona - Anxiété

2) Les 5 principales caractéristiques de la douleur angineuse : "CARTE"

Constrictive

Arrêt (cède à) de l'effort

Rétro sternale

Trinitro-sensible

Effort (apparaît à)

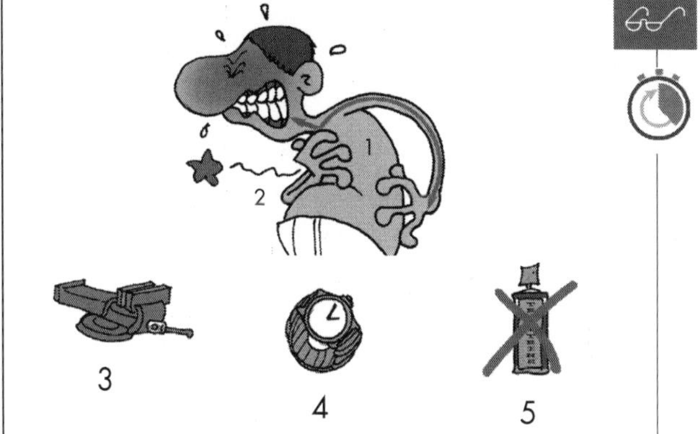

Les 5 éléments cliniques de l'IDM

- Douleur thoracique rétrosternale **(1)**.
- Irradiant dans le bras gauche et la mâchoire **(2)**.
- Intense, constrictive, de type "douleur en étau" **(3)**.
- Durant au moins 15 minutes **(4)**.
- Trinitro résistante (trinitrine : natispray) **(5)**. Comme les AVP ("vocation initiale") sont en nette régression, les SAMU voient "rouge" : par suite, nécessaire reconver-

sion dans les infarctus (environ 70.000 IDM/an) avec des possibilités de thrombolyse pré-hospitalière. Notons qu'en Écosse et dans de nombreux pays scandinaves, ce sont les IDE qui thrombolysent ... D'où les enjeux corporatistes actuels et les frottements concernant l'élargissement du "fond de commerce" de chaque Institution.

Remarque :

- ECG : normal dans 15-20 % des cas au début.

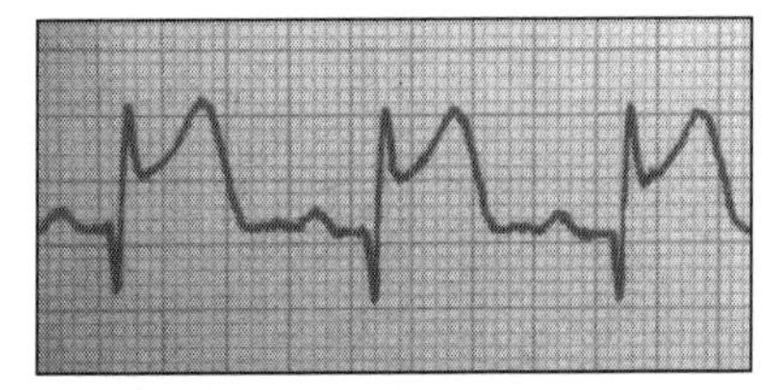

3) DISSECTION AORTIQUE : Classification de De Bakey : 1=2+3

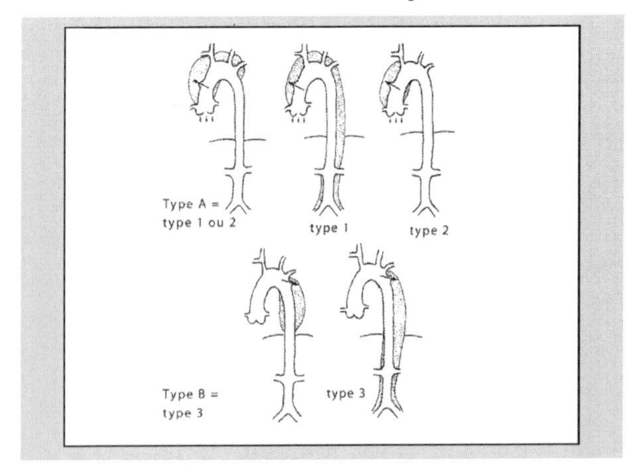

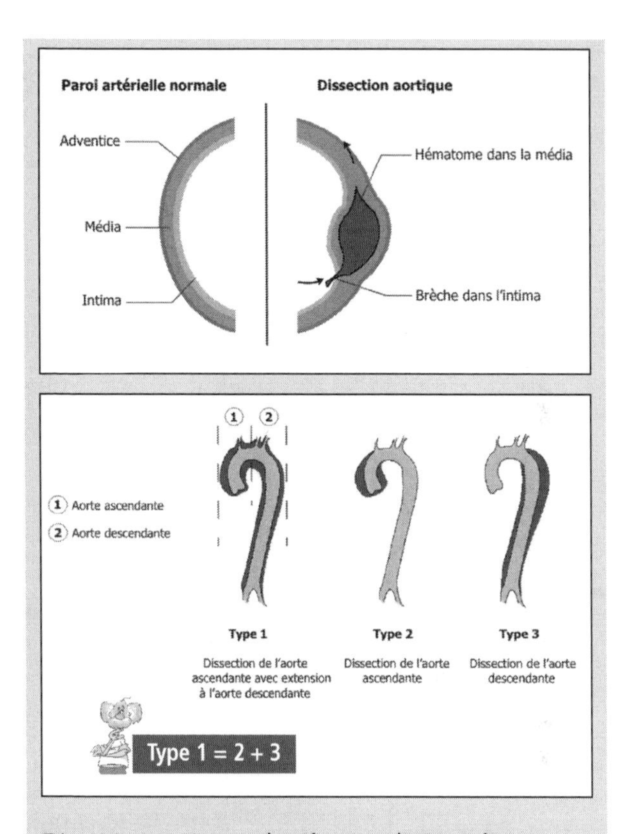

Dissection aortique : classification de De Bakey :

1. toute l'aorte
2. aorte ascendante
3. aorte descendante après l'origine de la sous-clavière gauche.

Remarque :

- Noter que l'HTA est à l'origine de 90% des dissections.

STAR-MÉMO :

Joe Dassin (1938-1980)

Alors qu'il s'apprête à avaler la première bouchée d'un joyeux déjeuner tahitien, le chanteur s'écroule terrassé par une crise cardiaque. Nous sommes le 20 août 1980, Joe Dassin venait d'avoir 42 ans. Deux mois auparavant (juillet 1980), Joe est victime d'une crise cardiaque au cours d'une tournée dans le Midi : à peine remis et ses engagements professionnels terminés, il décide de partir se reposer à Tahiti avec ses deux fils, sa mère, son parolier, Claude Lemesle, et une amie, Nathalie. Il était arrivé depuis deux jours seulement lorsque cette seconde attaque cardiaque le terrassa. Toujours habillé de blanc et décontracté, le célèbre chanteur franco-américain était également un homme qui intériorisait ses soucis (il avait même été opéré d'un ulcère perforé à Paris), ce qu'on appelle plus communement un terrain "stressé". En partie, par un milieu professionnel qui broye les nerfs des gens les plus équilibrés, également suite à une vie personnelle agitée (2 divorces), et le désir de se faire un prénom lorsque l'on se nomme Dassin (avec un père reconnu comme l'un des plus grands cinéastes de son époque, et une belle-mère comme Melina Mercouri, actrice et femme politique, députée au Parlement d'Athènes).

- ITEM 198 -

DYSPNÉE AIGUË ET CHRONIQUE

1) Les 4 stades de la Classification NYHA d'une dyspnée : "AIMeR 1-2-3-4"

1 Asymptomatique : stade I

2 Importantes activités : stade II

3 Modérées (vie courante) activités : stade III

4 Repos (moindre effort voire décubitus) stade IV

Remarque :

- **Étiologies des insuffisances cardiaques**

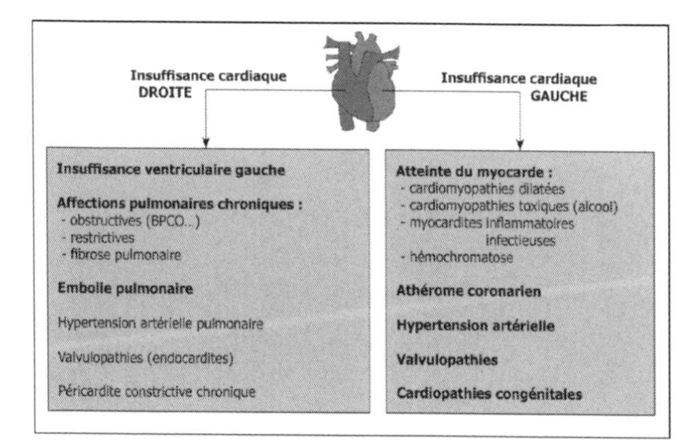

Recommandations Européennes dans la prise en charge thérapeutique des patients en ICC (recommandations de l'ESC de 2005)

Classe NYHA	I	II	III/IV	IV
IEC	indiqués	indiqués	indiqués	indiqués
ARA II	Si intolérance aux IEC	indiqués avec ou sans IEC	indiqués avec ou sans IEC	indiqués avec ou sans IEC
diurétiques	Non indiqués	Indiqués en cas de rétention hydrique	indiqués	indiqués
bétabloquants	Post-infarctus	indiqués*	indiqués*	indiqués*
anti aldostérones	Infarctus récent	Infarctus récent	indiqués	indiqués
Digoxine	Avec FA	Quand FA Ou IC III en RS améliorée	indiquée	Indiquée

* : sous surveillance +++

- Devant une dyspnée aiguë, valeur de la BNP (résultat du laboratoire en 20 min), pour différencier l'origine pulmonaire ou cardiologiques dans certains cas difficiles.

2) Éléments thérapeutiques de l'OAP : "ALORS"

- **A**ssis (repos au lit, position demi-assise).
- **L**asilix : furosémide (diurétiques d'action rapide) par voie intraveineuse
- **O**xygénothérapie nasale (si inefficacité de ces mesures : ventilation non invasive au masque voire ventilation assistée après intubation orotrachéale si troubles de conscience, épuisement respiratoire)
- **R**isordan : (dérivé nitré) : en surveillant la TAs qui doit rester > 100
- **S**urveillance continue : clinique, électrique (scope) ; radio écho

Remarque :

Les 4 principaux éléments diagnostiques de l'OAP (3 symptômes à l'auscultation) :

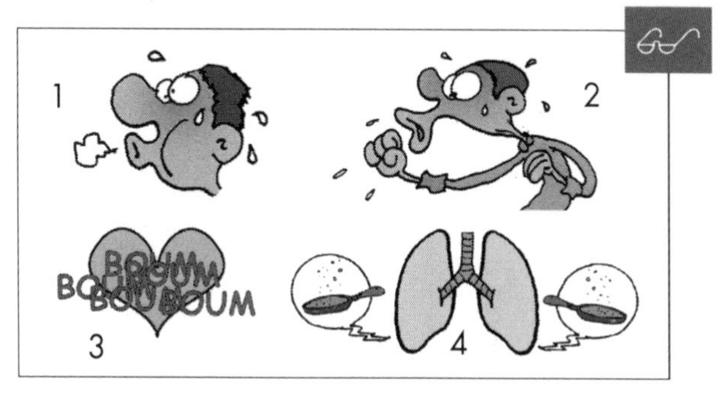

Signes cliniques

- Orthopnée avec ou sans douleur thoracique (1).
- Toux, expectoration blanche mousseuse (2).
- Tachycardie (3).
- Auscultation : crépitants bilatéraux (ressemble au bruit des pas sur la neige, ou au crépitement de l'huile chaude) (4).

Signes radiologiques de l'œdème cardiogénique : "**KERCC**"

- **K**erley : lignes B de Kerley aux bases et lignes A aux sommets.
- **E**panchements pleuraux inter-lobaires et des culs-de-sac.
- **R**edistribution vasculaire du débit de la base vers les sommets.
- **C**erne péri-broncho vasculaire d'œdème alvéolaire ou interstitiel.
- **Ca**rdiomégalie : aux dépens du VG : silhouette mitrale ; l'arc inférieur gauche plonge dans le diaphragme ; calcul de l'index cardio-thoracique (normalement inférieur à 0,50).

Noter que **les images s'effacent en retard avec la clinique (image du passé).**

- ITEM 200 -
ÉTAT DE CHOC

1) Les quatre mécanismes du choc : "CASH"

Cardiogénique (terrain le plus souvent évident)

Anaphylactique (contexte le plus souvent évident)

Septique (infectieux : T°, porte entrée, globules blancs, CRP...)

Hypovolémique (contexte le plus souvent évident)

Remarque :

- Enchaînement tout trouvé, pour ce mémo opérationel sur les Cathéters Courts Veineux: "JBR-VGO 24-14". Par ordre croissant selon le diamètre : Jaune 24G (les plus fines) - Bleu 22G - Rose 20G - Vert 18G - Gris 16G - Orange 14G.
- Au niveau traitement, toujours traiter la cause (ex : IDM ou EP avec et si :
  . choc cardiogénique (IDM, EP, trouble du rythme,...) : ne pas remplir mais amines vasopressives (adrénaline, dobutamine...) pour maintenir une TA moyenne > 70 mmHg et transfert en milieu spécialisé (pose de Stendt, thrombolyse,...°
  . choc anaphylactique : remplissage + corticïdes +/-adrénaline (cf. mémo suivant)
  . choc septique : remplissage, inotropes positifs (adrénaline ou noradrénaline), antibiothérapie...

2) Conduite à tenir devant un choc anaphylactique : "MAROC"

- **M**onitoring
- **A**drénaline : 0,25 à 1 mg SC à renouveler si besoin en IVD ou IM (surveillance ECG)
- **R**emplissage vasculaire : colloïdes 500cc/10min à répéter si besoin
- **O**xygène
- **C**orticoïdes par voie parentérale : hémisuccinate d'hydrocortisone IVD 100mg/4h

- ITEM 236 -
FIBRILLATION AURICULAIRE

FA aiguë - Les 4 principes du traitement initial : "Bien ou mal toléré c'est assez" (= "AC si bien toléré AC si mal toléré")

- Aigu et **bien toléré : "AC"**

- **A**nti-coagulation efficace (risque thrombo-embolique ++) pendant 4 semaines
- **C**ordarone (pour réduire) PO ou IV

- Aigu et **mal toléré** : **"AC"**

- **A**nti-coagulation efficace
- **C**hoc Électrique Externe (cf. Rem)

Remarque :

La fibrillation Ventriculaire et ses FDR d'embolies

- Éléments **cliniques** : âge > 65 ans, femme, insuffisance cardiaque évolutive, antécédent récent d'embolie artérielle périphérique ou cérébrale (< 1an), HTA, diabète.
- Éléments **échographiques** : dysfonction systolique ventriculaire gauche (FE < 25 %), ? dilatation atrium gauche > 2,5 cm/m², calcifications de l'anneau mitral.
- **ECG** de la FA :
  . disparition des ondes P sinusales
  . trémulation de la ligne de base
  . présence de complexes ventriculaires irréguliers et souvent rapides, insuffisance respiratoire, phlébite, embolie pulmonaire, infarctus du myocarde.
- Quasiment toutes les pathologies cardiaques peuvent donner des FA et peuvent toutes évoluer vers l'IVG (aiguë = OAP) ou chronique.

- REFLEXE : "devant une FA **aiguë** -> toujours rechercher **l'hyperthyroïdie** bilan thyroïdien : T4 -TSH".
- Avant tout choc électrique externe (**CEE**) : échographie trans-thoracique ou trans-œsophagienne pour éliminer un thrombus intra-cavitaire(dans ce dernier cas, 4 semaines d'anti-coagulation).
- Précautions à prendre hors urgence lors d'un choc électrique externe : **"AEIOU"** : **A**nti-coagulation (4 semaines) - **E**chographie (ETO pour éliminer un thrombus intra-cavitaire) - **I**onogramme (kaliémie - calcémie) - **O**uabaïne (arrêt des digitaliques) - **US**I à proximité.

Rappelons les facteurs de risque thromboembolique dans la FA :

- Cliniques : âge > 65 ans, femme, IVG évoluée, antécédent embolique artériel récent périphérique ou cérébral (< 1 an), HTA, diabète.
- Para-cliniques : dysfonction systolique du VG avec fraction d'éjection < 25 %,dilatation de l'oreillette gauche > 2,5 cm / m^2, calcifications de l'anneau mitral.

- ITEM 250 -
INSUFFISANCE CARDIAQUE DE L'ADULTE - CARDIOMYOPATHIES : OAP (IC AIGUË)

L'insuffisance cardiaque (800 000 patients en France - et 100 millions dans les pays developpés) est le stade terminal de toutes les cardiopathies quel que soit leurs mécanismes (vasculaire, neurologique, musculaire ...) ou la pathologie sous-jacente (IDM, HTA, valvulopathie,...). Le traitement de la cause prime toujours, sur le symptôme "IVG".

1) Valeur de la fraction d'éjection normale du ventricule gauche et définition IVG : "à la lettre : FE"

F = **6°** lettre de l'alphabet

E = **5°** lettre de l'alphabet

FE Normale = 65 % (pathologique en dessous de 50%). Définition objective IVG = EF < 50 %.

Remarque :

- Environ 1 M de Français sont concernés.
- Noter 50% de mortalité à 5 ans.
- Le dessin ci-dessous permettent de comprendre la physiopathologie de l'OAP (IC en décompensation aiguë).

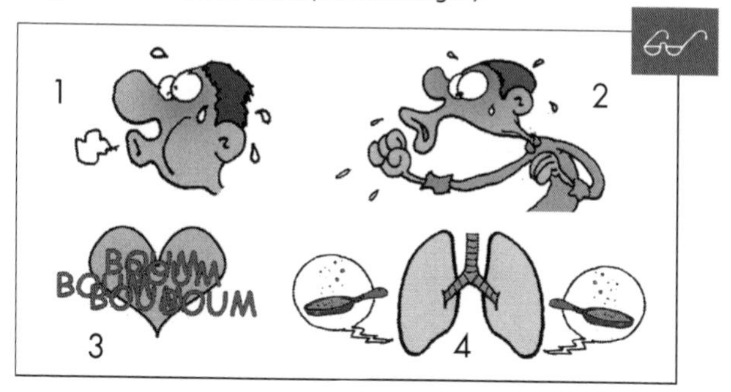

- Premiers examens devant une dyspnée aiguë : "**ECGS**" : **E**CG (éliminer un IDM..) - **C**liché thoracique face + profil si possible (pneumothorax...) - **G**az du sang artériel (EP...) - **S**anguin prélèvement : NFS, ionogramme, glycémie, hémostase (anémie...), D-Dimères,...

3) Éléments thérapeutiques de l'OAP : "ALORS"

- **A**ssis (repos au lit, position demi-assise)
- **L**asilix : furosémide (diurétiques d'action rapide) par voie intraveineuse
- **O**xygénothérapie nasale (si inefficacité de ces mesures : ventilation non invasive au masque voire ventilation assistée après intubation orotrachéale si troubles de conscience, épuisement respiratoire)
- **R**isordan : (dérivé nitré) : en surveillant la TAs qui doit rester > à 100
- **S**urveillance continue : clinique, électrique (scope) ; radio écho

- ITEM 251 -

INSUFFISANCE MITRALE

1) Les 5 principales étiologies de l'insuffisance mitrale : "DROIT"

Dégénératives (dégénérescence fibro-élastique) / **D**ystrophique (maladie de Barlow)

Rhumatisme articulaire aigu

Osler

Ischémiques : rupture, dysfonctionnement d'un pilier

Traumatismes et autres : lupus, Marfan, myxome, myocardiopathies

Remarque :

- 3 Principales complications de l'insuffisance mitrale "**FEE**" : **F**A (troubles du rythme atrial : flutter, tachysystolie, etc.) - **E**ndocardite infectieuse - **E**mbolies (artérielles).

Ceci aboutissant à la fin à l'ICG puis a l'IC globale.

2) Les 3 objectifs de l'échographie dans le rétrécissement mitral (mais également n'importe quelle valvulopathie) : "DST"

Diagnostic : Positif / Etiologique / Gravité

Surveillance : suivi évolutif

Thérapeutique : selon la quantification, l'indication thérapeutique (et/ou le type de traitement) peut être posé.

Remarque :

- Application d'un "mémo tiroir" (DST), cf. chapitre méthodologie.
- Les 4 Signes de gravité du rétrécissement mitral "**SIDA**" : **S**ymptomatique - **I**nsuffisance ventriculaire gauche (IVG) -> valeur du bilan - **D**roits : signes droits - **A**CFA.

- ITEM 274 -
PÉRICARDITE

1) Triade clinique de la péricardite aiguë : "FFT"

Frottement péricardique

Fièvre à 38-39°C

Thoracique (douleur)

Remarque :

- L'essentiel dans un dossier de péricardite est de rechercher une cause classique (souvent évidente), avant de conclure à une péricardite aiguë virale idiopathique (souvent une femme jeune ayant présenté un syndrome pseudo-grippal dans les jours précédents).
- En 2010, 60% des péricardites étaient virales (mais diagnostic d'élimination).
- Causes des péricardites aiguës (généralement contexte évocateur : cf. fièvre si cause infectieuse...

Infections	Virales (dont HIV) Bactériennes Tuberculose
Cause auto-immune ou de sensibilisation	Maladies de système (Lupus, PR) Médicaments Post-infarctus
Secondaire à une affection voisine	Infarctus du myocarde Dissection aortique Embolie pulmonaire Pneumopathie infectieuse
Post-traumatique	Traumatisme thoracique
Cancers	Primitifs du péricarde Métastases secondaires

- Mémo à seulement parcourir concernant les étiologies des péricardites "**PERICARDITS**" : **P**ost-infarctus (péricardite sèche) (10%) - **E**xterne (traumatisme externe, iatrogène) - **R**énale (insuffisance rénale, syndrome urémique) (la péricardite marque un tournant évolutif...) - Immunologique : lupus - Cancéreuse (poumon, sein, lymphome) (30%) - Aortique : dissection - Radique - Dressler : syndrome post-infectieux tardif (3 semaines à 3 mois) - Idiopathique (0) : virale (50% des péricardites) - **le plus fréquent mais diagnostic d'élimination !** - Tuberculose (0) (par extension) (1 à 5%) - Sida

RÉFLEXES

- Contre-indication aux anticoagulants.
- Attention à la tamponnade (insuffisance cardiaque droite et pouls paradoxal).
- Rechercher tuberculose et VIH.
- Toujours éliminer un IDM éventuellement associé (il peut être extrêmement grave de thrombolyser une péricardite).
- D'où l'intérêt du terrain (athéromateux ou femme jeune) et des examens complémentaires (signes ECG de la péricardite : images diffuses dans toutes les dérivations, sans onde Q de nécrose, ni image en miroir, associées à un microvoltage).
- Complications des péricardites : Récidives / Myopéricardite / Tamponnade / Péricardite chronique constrictive.

2) Traitement de la péricardite aiguë bénigne (virale) (diagnostic d'élimination) : "3 A"

Alitement (repos au lit) ++ / arrêt de travail : 15 jours

Antalgique

AINS : aspirine à doses décroissantes sur 3 semaines (3 g sur 7 jours - 2 g sur 7 jours - 1 g sur 7 jours).

Remarque :

Un petit mémo pour la route. Étiologies des péricardites constrictives "**TRUST**" : Traumatique - Radique - Urémique - Septique (péricardites purulentes) - Tuberculose.

- ITEM 281 -
RÉTRÉCISSEMENT AORTIQUE

1) Les 3 Principales étiologies du rétrécissement aortique : "RMC"

Rhumatisme articulaire aigu

Monckeberg (maladie de) (0) : RA dégénératif (90% des cas) / RA calcifié du sujet âgé

Congénitale : bicuspidie aortique (1% de la population)

Remarque :

- Valvulopathie réflexe : anti-coagulation, dépistage et traitement précoce des foyers infectieux (dentaires et ORL++), antibioprophylaxie de l'endocardite Oslérienne, port d'une carte.

2) Les 4 signes de gravité clinico-échographique : règle des "4 S"

Symptomatique : signes cliniques survenant à l'effort : Syncope, angor, dyspnée

Souffle intense (cf. 5-6 sixième)

Soixante pour 100 : fraction éjection à l'écho < 60% ... = IVG aux investigations para-cliniques

Serre : surface < 0,7 cm^2

Remarque :

Alternative : Indications opératoires dans le RA "**12345**" :

- **1**,6 cm : épaisseur de la paroi du VG (norme : 0,9 cm)
- **2** : B2 aboli
- **3/4**cm² (0,75 cm²) : surface aortique < 0,75 cm² (norme = 3 cm²)
- **5**0 mm : gradient VG/AO > 50 mmHg.

3) 4 principales complications d'une valve mécanique : "DATE"

Désinsertion de prothèse

Anémie hémolytique

Thromboembolie

Endocardite infectieuse

- ITEM 284 -
TROUBLE DE LA CONDUCTION INTRA-CARDIAQUE

BRADYCARDIE SINUSALE : (ou BAV III) le traitement dans l'ordre en 3 étapes : "AIE !"

Atropine : 0,5 à 1mg en IVL (si d'origine vagale ou IDM inférieur)

Isoprénaline : Isuprel® 5 ampoules de 0,2 mg dans 250 ml de G5

Entraînement externe / Sonde (si bradycardie mal tolérée : insuffisance cardiaque… ou si échec du traitement médical).

Remarque :

- PR normal = "à la lettre" = P (16e lettre) = 16 mm
- Bloc Auriculo-ventriculaire (BAV) :
  . **1er degré** : PR > 0,20 sec.
  . **2e degré** : a) **Mobitz 1** : augmentation progressive de l'espace PR jusqu'à une onde P bloquée ; b) **Mobitz 2** : PR fixe mais certaines ondes P bloquées
  . **3e degré** : dissociation auriculo-ventriculaire totale : toutes les ondes P sont bloquées.
- À terme, indication d'un **pacemaker** selon le retentissement et le classique "risque/bénéfice".

- ITEM 309 -
ÉLECTROCARDIOGRAMME : INDICATIONS ET INTERPRÉTATION

1) Couleur des électrodes pour ECG standard : *"Le soleil sur la prairie"* et *"Le steak sur la poêle"*, puis côté : *"Rouge on the Right"*

- Pour savoir qui du rouge ou du noir est au-dessus : Jaune (soleil) au-dessus du Vert (prairie) & Rouge (steak) au-dessus du Noir (poêle). Comme le rouge est à droite (Right), le jaune et vert sont à gauche (respectivement Jaune supérieur et Vert inférieur)
- Ce qui donne :

Rouge -> MS Droit

Jaune -> MS Gauche

Vert -> MI Gauche

Noir -> MI Droit

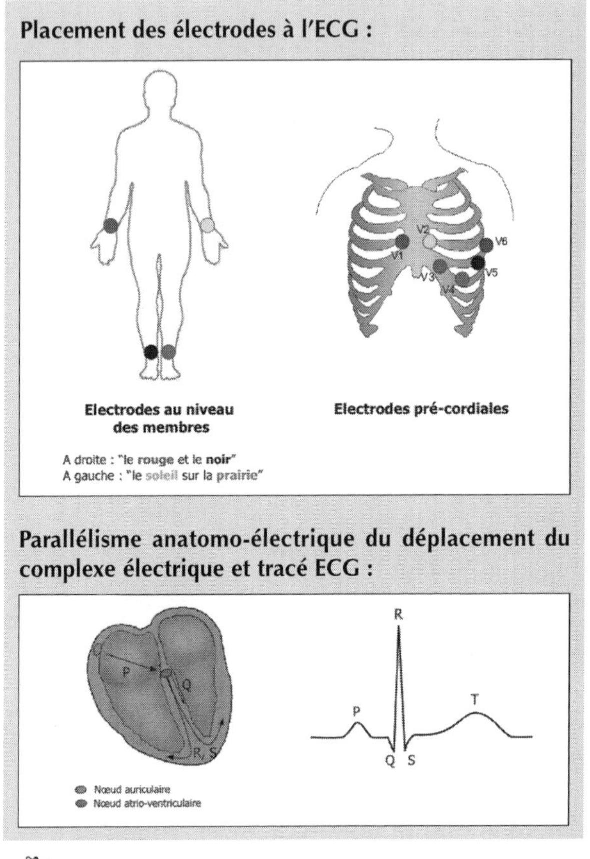

Remarque :

Alternatives :

- Le Rouge et le Noir (Stendhal) : rouge au dessus du noir : en partant du cœur (aiguilles d'une montre) : **"Jeune Voyou Non Recommandable"** : Jaune - **V**ert - **N**oir - **R**ouge.
- Le cycle de vie d'une pomme : au début elle est verte puis jaune, rouge et à la fin pomme morte noire ; notez qu'on mange la pomme jaune ou rouge (donc ça correspond au mains :)
- Last but not least pour les footeux : couleurs de tenue des équipes Brésil (Jaune-vert) et AC Milan (Noir rouge).

2) 6 Bases analytiques de l'ECG : "FRANCHIR"

- **F**réquence : cf. "fréquence minute" (mémo suivant).
- **R**ythme : tachycardie : si > 100/min et bradycardie : si < 60/min.
- **A**xe : normal = **positif en D2.**
- **Nécrose (signe de) : onde de Pardee, onde Q**
- **C**onduction : bloc si PR > 0,20 = 5 petits carreaux.
- **HI** : **hy**pertrophie (signes d') : indice de Sokolow (cf. rem).
- **R**epolarisation (troubles de la)

Remarque :

- Troubles de la repolarisation : existence d'une onde de Pardee, onde Q, sus ou sous-décalage ST, aspect S1 Q3 (EP)...
- Hypertrophie ventriculaire gauche (indice de Sokolov > 35 mm) : **"t'es Diapo ou Ciné ?"** : **Dia**stolique si onde T **po**sitive car **"dia. po."** (diapo). **Sy**stolique si onde T **né**gative car **"sy. né."** (ciné).
- Pour parler de sus-décalage ST, il faut ST > 1 mm (1 carreau).

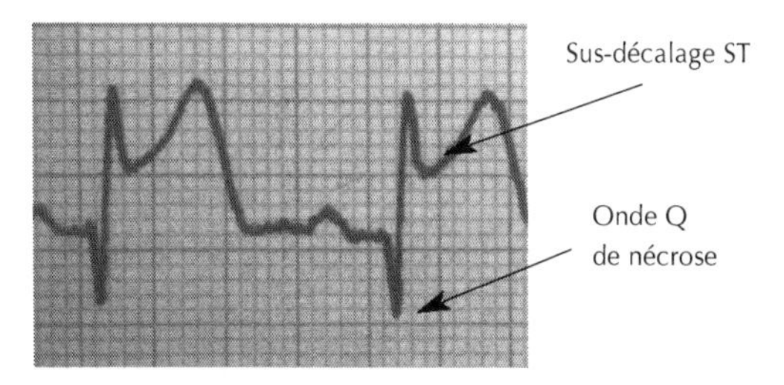

Infarctus du myocarde en phase de constitution (Onde de Pardee : sus-décalage de ST englobant l'onde T et onde Q profonde

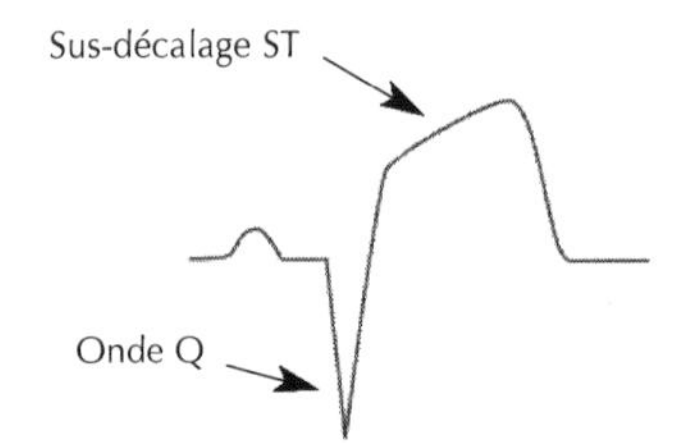

Infarctus du myocarde

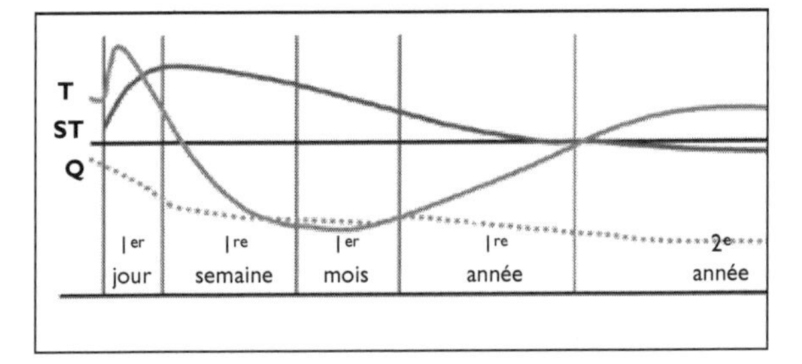

Évolution des anomalies ECG selon le temps.

3) "Fréquence minute" à l'ECG : règle des "300-150-100-70-60"

400 300 200 150 100 90 80 70 60 50 R 40 30

Ci-dessous l'approche minute d'un ECG :

- 1 carreau : **300** / min
- 2 carreaux : **150** / min
- 3 carreaux : **100** / min
- 4 carreaux : **70** / min
- 5 carreaux : **60** / min

Rythme & conduction

a) Intervalles

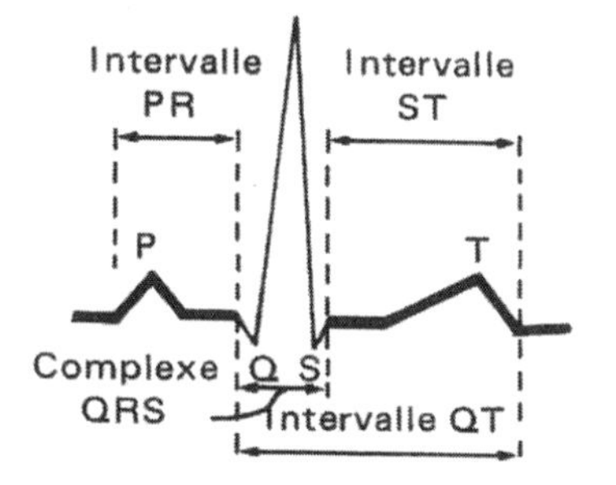

b) Valeurs normales

INTERVALLE	
PR	0.12-0.20
ST	0.27-0.33
QT	0.35-0.42
QRS	0.08-0.11

Calcul de l'axe électrique (0 < N < 90)

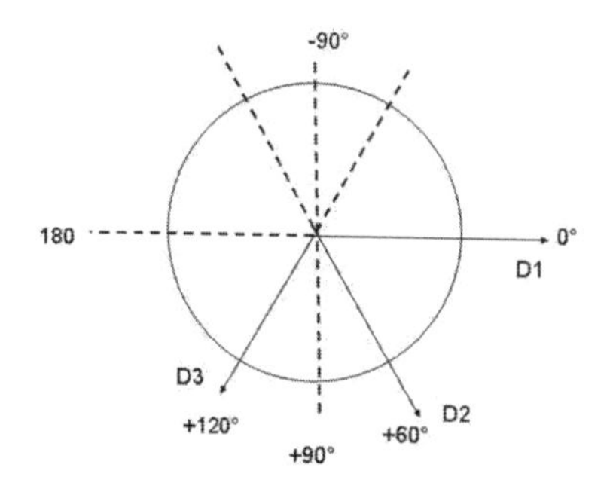

4) Fréquence cardiaque Maximale Théorique (FMT) d'effort : "220-âge"

- FMT = 220 - âge.

Remarque :

- Contre-indications ECG (et scintigraphie) d'effort : "**HARICOR**" : **H**TA non contrôlée - **A**ngor instable - **R**étrécissement aortique - **I**DM < 10 jours (Tronc commun sténose) - **C**ardiaque insuffisance - **O**bstruction (CMO) - **R**ythme (Trouble du).
- Chez un patient cardiaque qui désire pratiquer une activité physique, recommander de ne pas dépasser 70% de la FMT.

5) Bloc de branche gauche (Left)/Droit (Right) : pour retenir l'aspect du QRS en V1-V6 penser : "WilliaM MarroW"

Aspect du QRS :

- **W**illia**M** : **W** en V1, **M** en V6, à Gauche (L comme Left).
- **M**arro**W** : **M** en V1, **W** en V6, à Droite (R comme Right).

Ainsi :

- si BBG (gauche = Left = **wiLliam**) : aspect QRS en V1(= **W**) et V6 (=**M**).
- si BBD (droit = Right = **maRrow**) : aspect QRS en V1(= **M**) et V6 (=**W**).

6) ECG et troubles métaboliques

• Hyperkaliémie : les 3 signes ECG => ***"La Tête (T) pointue du grand-père (PR) élargit le curé (QRS)"***.

- La tête pointue : onde **T pointue**
- Du grand-père : **allongement du PR**
- Élargit le curé : **QRS élargi**

Remarque :

Le potassium va dans l'onde T.

Rappel : valeur normal du potassium : **"3-4-5"** soit **3,4** à **4,5** mmle/l

Une hyperkaliémie aiguë constitue une urgence médicale.

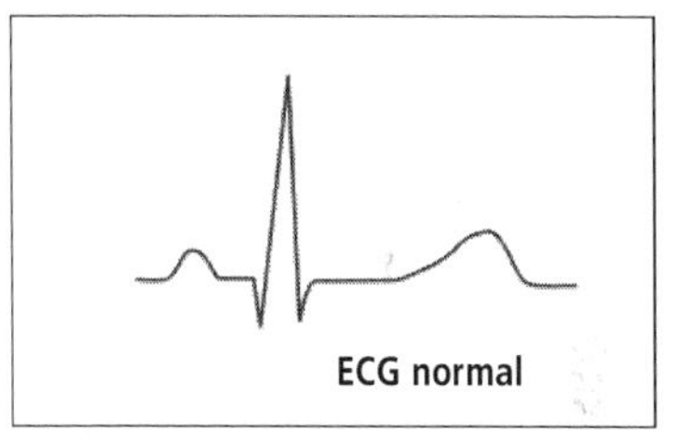
ECG normal

• Hypercalcémie : les 5 signes ECG d'une hypercalcémie : ***"Ta raquette plate perd son rythme"*** :

TA : **ta**chycardie

Raquette : **rac**courcissement du QT

PlaTe : a**plat**issement de l'onde T

Perd : allongement de l'espace **PR**

Rythme : troubles du **rythme**.

- ITEM 325 -

PALPITATIONS-SYNCOPES

1) Critères de gravité des extrasystoles ventriculaires : "5P"

Pathologie cardiaque sous-jacente

Précoce : près de l'onde T (aspect RT)

Polymorphe : traduit l'existence de plusieurs foyers

Plusieurs complexes répétitifs : doublet, triplet, voire salve

Périodicité > 5/minutes

Remarque :

- Alternative : 4 caractères bénins des ES- V : "**ES MI**" :

  Effort (disparaissent à l')

  Sain Cœur

  Monomorphe (1 seul foyer de décharge)

  Isolée.

- NOTER ce point commun entre une musaraigne (5 grammes) et une baleine à bosse (25 tonnes) aux antipodes en terme d'enviro n-nement : la musaraigne : espérance de vie de 3 ans mais toujours agitée et inquiète, a un rythme cardiaque de 600 battements/ min (rappel : colibri 1000/min et poulet 270/min), alors que la baleine a une FC de 12/min mais vit en moyenne 90 ans !

2) Tachycardie jonctionnelle : 3 principaux médicaments à utiliser après les classiques manœuvres vagales : "ABC"

- **A**dénosine Tri Phosphate (ATP) : ECG + voie veineuse + atropine + défibrillateur à proximité.
- **B**êta - : en absence de CI.
- **C**alcique inhibiteur.

Remarque :

- ECG, voie veineuse (Atropine prêt à injecter si bradycardie iatrogénique trop importante) et défibrillateur à proximité.
- Rappelons que le risque majeur de toutes ces tachycardies est l'évolution vers la redoutable fibrillation ventriculaire.

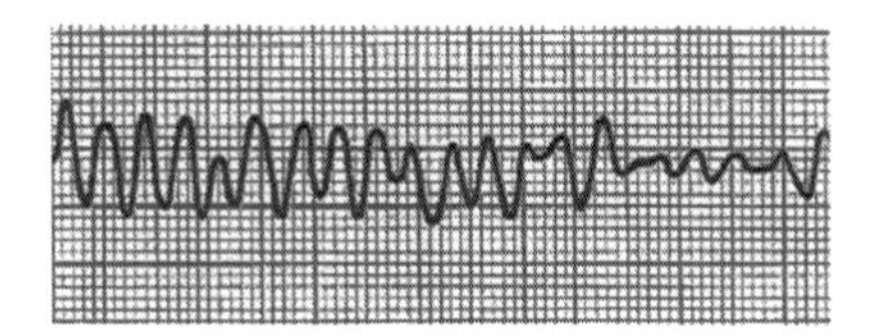

Fibrillation ventriculaire (battements ventriculaires "anarchiques" : en absence de choc électrique externe via un défibrillateur, évolution rapide vers la mort).

MÉDI-MÉDOCS

1) Les 4 effets pharmacologiques potentiels d'un médicament cardiotrope : "C BIDoN"

Chronotrope : action sur la fréquence cardiaque

Bathmotrope : action sur l'excitabilité auriculaire et ventriculaire

Inotrope : action sur la contractilité musculaire

Dromotrope : action sur la conduction nerveuse

Remarque :

- Beaucoup de termes pharmacologiques pour impressionner le profane (cf. effets parasympathicolytiques, cf. effets muscariniques,...) et faire savant... comme bien souvent en médecine !.

2) Effets du parasympathique sur le cœur : Penser "PARA-CHUTE"

Le **PARA**(sympathique) - **CHUTE** donc effets chronotropes/inotropes/bathmotropes négatifs !

Remarque :

- Ce mémo tout simple, vous évitera pendant 10 années au moins les prises de tête concernant les actions des systèmes sympathique / para sympathique, et vous fera plonger sereinement dans la spirale de la pharmacologie.

- Au niveau physiologique : "À la lettre". Le **P**arasympathique agit sur les canaux **P**otassium et rend le cœur **P**aresseux (bradycardie)
- Le **S**ympathique agit sur les canaux **S**odium et rend le cœur **S**peed (tachycardie).

3) Classique action des digitaliques : "3 R"

Ralentit FC (donc chronotrope-)

Régularise (Bathmotrope +)

Renforce la contractilité (donc Inotrope +)

Remarque :

- Indication essentiellement Insuffisance cardiaque (aiguë = OAP)
- Très utilisés dans le passe (OAP, tachycardies,...), moins depuis l'aparition de nouvelles molécules plus adaptées type cordarone,...
- Les digitaliques sont : B+C-D-I+.
- Penser à arrêter les digitaliques 48 heures avant un CEE !

... Attention REFLEXE : en cas de surdosage en digitaliques, toujours doser la kaliémie !

4) Les 4 classes de médicaments anti-arythmiques : "Qui BCD"

1 **Qui**nidiques...

2 **B**êta(-)

3 **C**ordarone

4 **D**iltiazem : inhibiteur calciques

Remarque :

- Alternative : **"C'est Qui Qu'a Bloqué"** : **C**ordarine, **Qu**inidiniques, **Ca**lciques -, bêta **bloq**uants
- Concernant la cordarone : 1 action et 4 effets secondaires : **"5P"** : **P**rolonge le **PA** (effet anti arythmique) et **P**hotosensibilité - **P**igmentation de la peau (coloration gris-bleu de la peau du visage, du cou et des bras) - **P**ulmonaire : alvéolites et fibrose - **P**ériphériques conversion de T4 en T3 inhibée => hypothyroïdie (+++).
- Petit mémo pour la route puisque nous sommes dans les flux ioniques (K+,Na+) : **"KI-NE"** = K+ est principalement Intracellulaire et Na + est principalement Extracellulaire.

5) Les 5 principales indications des bêta-bloquants : "MATCH"

Migraine

Angor

Thyroïdie Hyper (cf "bradycardisant")

Cirrhose

HTA

Remarque :

- La principale indication est à son action bradycardisante (et donc une moindre consommation d'oxygène par le muscle cardiaque dans les coronaropathies).
- Location des Bêta 1 versus Bêta 2 récepteur : Nous avons 1 cœur et 2 poumons : les Bêtas 1 prédominent au niveau du Cœur (bradycardisant) et les bêtas 2 au niveau des poumons (bronchoconstricteur).

6) Les 5 contre-indications absolues aux bêtabloquants : "BRADIcardie"

Bradycardie inférieure à 45/min (0) et **B**av II ou III non appareillé (0)

Raynaud (syndrome de)

Asthme

Dépression grave

Insuffisance cardiaque : discutée selon la sévérité, la pathologie causale et le bêta-bloquant

Remarque :

Consensus évolutif difficile à cerner (donc peu probable) sur les CI absolues/relatives cf. asthme, dépression sévère, AOMI,...

. Alternative mémo flash : **"CIA BBs"** (Contre-indications absolues Béta Bloquants)

Cardiaque: insuffisance cardiaque sévère décompensée

Ischémie sévère des membres inférieurs (AOMI)

Angor de Prinzmetal

BAV II ou III non appareillé

Bradycardie <45/mn

Syndrome de Raynaud

- 5 noms commerciaux de Bêta-bloquants cardio-sélectifs : CAR-DIO-SELECTIF" : CAR : Kerlone® (bétaxolol) -DIO : Detensiel® (bisoprolol)-SEL : Seloken® (métroprolol), Sectral® (acébutolol)-LEC : Lopressor® (métoprolol)-TIF : Tenormin® (aténolol)
- Alternative au précédent : les 5 bêta-bloquants cardiosélectifs → penser "**B**établoquants : **A**ction **E**xclusive **A**u **M**yocarde" = **B**etaxolol - **A**cebutelol- **E**smolol- **A**tenolol- **M**etoprolol

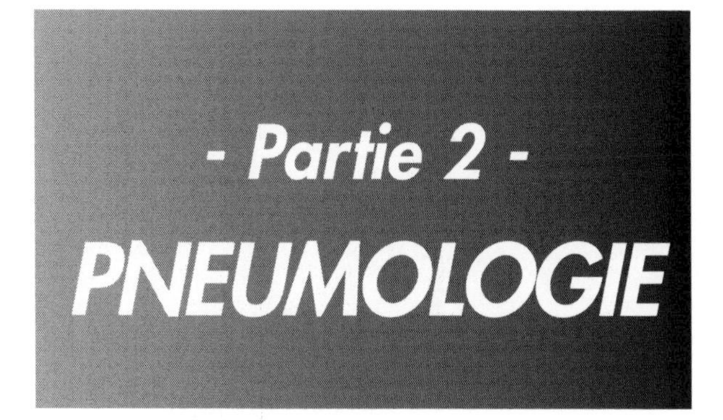

"J'ai tellement lu sur le tabac, la drogue, le sexe, que c'est décidé… j'arrête de lire !"

Sommaire

PNEUMOLOGIE

PLAN PNEUMOLOGIE	Mémo
45. Addictions et conduites	
1. Les 5 principaux risques médicaux du tabac	5C
2. Les 4 axes indispensables au sevrage tabagique	4M
86. Infections broncho-pulmonaires	
106. Tuberculose	
1. Les 4 principaux sujets à risque de tuberculose	SIDA
2. Bilan pré-thérapeutique du tuberculeux	OH CUTI
3. Posologie (et fo rme galénique) du ttt anti tuberculeux	PERI 3-2-1-0
4. Surveillance d'un ttt antituber culeux	NORBERT
124. Sarcoïdose	
Les 3 caractéristiques des adénopathies dans la sarcoïdose	BBS
198. Détresse respiratoire aiguë & chronique	
1. Dyspnée aiguë, 4 principaux examens complémentaires :	C.ECG
2. Syndrome cave supérieur : les 4 éléments du ttt	CAVE
3. Réflexes	

Utilité (en examen ou pratique)	Pertinence	Visuel	Star Mémo
++ +++ ++ ++	Logo +++ Logo	- Schéma physiologie - Tableau diagnostic bio - Schéma chronologique du ttt anti-tuberculeux - Tableau Minute de la surveillance clinico-bio imagerie en fonction du temps	Pierce Modigliani Kafka
	Logo	Tableau synthétique avec scoring	
	Logo	- Radio Thoracique : Face & Profil : interprétation minute - Dyspnée aiguë : les 4 types d'or ientations étiologiques à rechercher. - Signes de gravité cliniques au cours d'une dyspéee aigëe	

PLAN PNEUMOLOGIE *(suite)*	Mémo
226. Asthme	
1. 3 principaux facteurs décompensation de l'ast hme	AIR
2. Dosage classique de la nébulisation des BetaPlus	Règle des 654
3. Traitement de la crise d'ast hme aiguë grave	BAC TO AIR
4. Critères de contrôle de l'ast hme	BAD ADN
227. BPCO	
1. Prise en charge d'une BPC Oen décompensation	ABCD = OK
276. Pneumothorax	
Éléments de gravité clinico-radiologique d'un pneumo thorax	BACH BC
312. Épanchement pleural	
Pédicule vasculaire & position anatomique	SOUS l' ABRICOTIER
317. Hémoptysie	
Les 5 principales étiologies	ABCDE

Utilité (en examen ou pratique)	Pertinence	Visuel	Star Mémo
Logo Logo		- Tableau avec exemples de système d'inhalation - Tableau prise en charge au long cours en fonction du nombre de crises, de la DEP,..	Abd El Khader
	+		
		- Dessin	
		- Tableau avec les 2 types principaux des KBP & Bilan imagerie : radio thoracique face + CT Scan + Fibro	

- ITEM 45
ADDICTIONS ET CONDUITES DOPANTES

1) Les 5 principaux risques médicaux imputables au tabac : 5C

Cancer : voies aériennes digestives supérieures (VADS), vessie, pancréas, col utérin.

Cardio-vasculaire : carotide (AVC), coronaire (angor, IDM, artérite).

Chronique (bronchite) : 70% des BPCO sont post-tabagiques.

Contraception orale : *"la pilule ou le tabac mais pas les deux"*.

Congénital : si arrêt du tabac, absence de grossesse à risque.

Remarque :

- Les effets cardiovasculaires sont dus à la nicotine, les effets dégénératifs sont dus au goudron (voies respiratoires cf. KBP-K.ORL et voies excrétrices K rénal & vessie).
- Pour le versant pneumologique (BPCO, cancer...), les risques apparaissent à partir de 20 paquets/année. Enfin, les cacahuètes sont servies, l'apéritif reste à venir... Concernant les BPCO, noter ce mémo épidémiologique : "1-2-3" : 1 Million de prévalence - 200.000 décompensations /an et 30.000 décès /an (= 2 fois la mortalité du cancer bronchique).
- Concernant ce mémo (faisant tristement un tabac...), en termes de Santé publique, la France met le paquet (fumer en public, vente aux mineurs, etc.), car rappelons que dans notre pays, près de

60 000 personnes meurent chaque année d'une maladie liée au tabac, chiffre qui pourrait augmenter pour atteindre les 100 000 personnes dans quelques années selon les épidémiologistes.

Par analogie au couple Tabac/KBP (95% de tabagique), le couple amiante/ mésothélium doit faire évoquer les professions liées aux produits suivants : matériaux d'isolation, cloisons pare-feux, calorifugeages, freins...

Noter qu'aux USA, le cancer du poumon est devenu le 1er cancer chez la femme (devançant le cancer du sein), suite au tabagisme croissant féminin.

Les meilleurs résultats concernant la prévention sont obtenus avant tout via le prix (grosso modo un paquet de cigarette vaut 10 en Angleterre, 6 en France et 0,6 en Chine) et en second lieu via les messages visuels dissuasifs sur les paquets (cf. Angleterre : image de tumeur, de patient intubé ventilé...).

- L'industrie du tabac est extrêmement puissante (cf Lobbying, campagne publicitaires, études scientifiques "sponsorisées",...) et représente environ 10% des recettes fiscales (chiffre en Chine : marché majeur et premier fabricant mondial). Et pourtant, l'Empire du Milieu présente un nombre de fumeurs record : environ 50% des adultes mâles (soit au bas mot 300 millions d'individus = 1 accroc au tabac sur 3 dans le monde !). 3 chiffres évocateurs :

. *"Do what you Preech"* : 50% des hommes médecins chinois sont eux-mêmes fumeurs !

.. 12% des décès en Chine sont imputables au tabac : 1 Million pour 2009 !

... Ce chiffre pourrait tripler d'ici 2030.

2) Prévention : les 4 axes indispensables au sevrage tabagique : "4 M"

Mentale préparation ("Brain wash Programm" = 60% du succes) : carnet de motivation (à lire 6 fois/j) avec : photos famille, définition d'un "D Day" + mapping des risques + les effets positifs (sant", image, estime de soi,...) et négatifs attendus + CAT : anticipation en cas de situation à risque (café, ordinateur...). Un coaching par un "œil" extérieur (MG, tabacologue,...) est essentiel pour se donner le maximum de chances de réussite.

Multiples : la tentative en équipe donne de meilleurs résultats qu'une tentative individuelle (cf. observance, soutien, échanges...)

Marathon = sport par ses propriétes anxiolytiques (25 min /j ou une suée minimum) et énergétiques (gain de poids d'environ 6 kgs à 1 an et ceci à régime constant par modification du métabolisme)

Médication : 1. Discuter préalablement au Jour J, Champix® ou Zyrban® (initialement utilisé comme antidépresseur : commencer 1 semaine avant et finir 15 j après le début). 2. Substitution chimique nicotinique (patch, gomme,...) à partir du D Day. 3. Cigarette électronique (substitution mécanico-sensorielle avec d'excellent résultats)

Remarque :

- Environ 50% de succès à 1 an si méthode globale.

STAR-MÉMO :

Jean-Paul Belmondo (1933-)

Grand fumeur jusqu'à la quarantaine, l'acteur Jean Paul Belmondo a une vie à couper le souffle... N'oublions pas que les effets non seulement cancérigène et addictifs, mais surtout athéromateux (engendrant ainsi différentes pathologies, type infarctus du myocarde ou accident vasculaire cérébral) de la cigarette n'ont été reconnus qu'à la fin des années 70. Noter également que les Américains ont accepté Lucky Luke sur leur marché... à condition qu'il ne fume que des brindilles : fait amusant pour le créateur Morris (cela ne s'invente pas, concernant la tabacologie)...

- ITEM 106
TUBERCULOSE

1. Les 4 principaux sujets à risque de tuberculose : "SIDA"

Social : mauvaises conditions socio-économiques

Immigrés : 4 fois plus fréquent chez les étrangers que les français

Déficit immunitaire, surtout cellulaire (corticothérapie, diabète, cancer, VIH, insuffisance rénale chronique...)

Alcool.

Remarque :

- Rappelons que toutes les 10 secondes, un individu meurt de la tuberculose, pathologie avant tout sociale (proximité, nutrition, immunité... cf. Europe du début du XXe siècle), et par suite, le BCG n'est plus obligatoire en France depuis 2007.
- Le terrain est essentiel. Les signes cliniques de la tuberculose (pathologie & symptomatologie évoluant sur plusieurs mois avec apparition d'une AEG progressive).

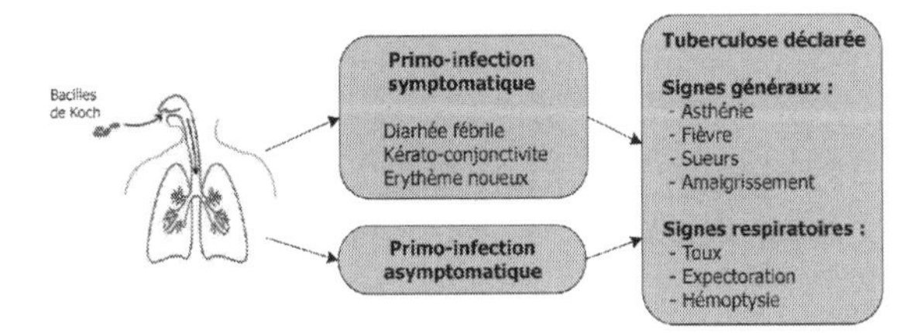

- Le diagnostic est confirmé par les examens complémentaires.

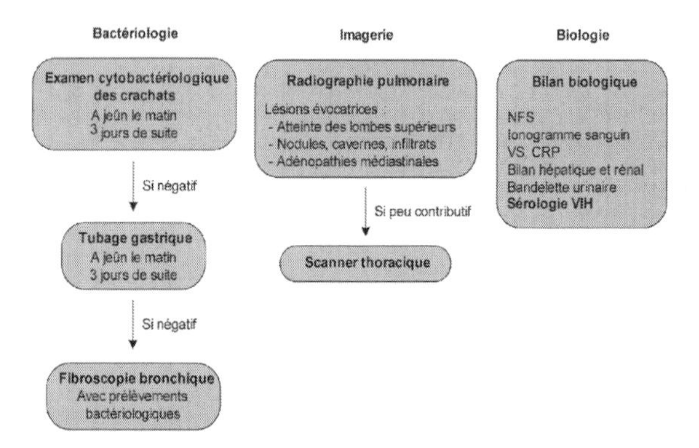

- La tuberculose a avant tout un tropisme pulmonaire et plèvre, et plus rarement urinaire et osseux (spondylodiscite). Les signes radiologiques en faveur d'un mal de Pott (BK Osseuse) devant une spondylodiscite : "**IDR**" : **I**ncurvation rachidienne importante (cyphose, scoliose avec gibbosité) - **D**éminéralisation précoce avec géodes en miroir - **R**econstruction faible et tardive - En cas de cas dans l'entourage faire pratiquer une IDR et un cliché thoracique.
- Toute expectoration muco-purulente qui dure plus de 15 jours malgré une antibiothérapie bien conduite est une tuberculose pulmonaire jusqu'à preuve du contraire.

STAR-MÉMO :

Franklin Pierce (1804-1869)

Jamais sans ma femme…

Le caractère contagieux du bacille de Koch peut s'illustrer à travers la biographie du 14e Président des États-Unis !

Sa feme et son vice-président sont décédés de la même maladie : la terrible tuberculose !

Source : Review of infectious diseases, vol n°6, nov-déc. 1984.

2. Bilan pré-thérapeutique du tuberculeux : "OH ! CUI"

Ophtalmologique (bilan) : fond d'œil + champ visuel + vision des couleurs => éthambutol

Hépatique : bilan (transaminases)

Créatinémie : fonction rénale

Uricémie

Ionogramme sanguin.

Remarque :

- Penser Oh Qi ou CUtI.
- Radio du thorax : 4 diagnostics différentiels d'opacité médiastinale => Les **4T** Lymphome : **T**uberculose - **T**hymome - **T**hyroïde (rétro-sternale) - **T**ératome.
- En 1544, Thomas Phaer, considéré comme le père de la pédiatrie anglaise, publiait la première édition de son "Book of Children". Il recommandait pour venir à bout d'un trouble encore présent chez 15% à 20% des enfants de 5 ans : *"Prenez la trachée d'un coq, desséchez-la et réduisez-la en poudre, puis administrez-la deux à trois fois par jour. Itou pour la mâchoire d'une chèvre, administrée sous forme de poudre liquide ou consommée avec un potage"*. Comme quoi, en l'espace de 10 générations, le fléau BK a été neutralisé et la pharmacologie simplifiée !
- Pour se remémorer le chiffre clé de 30g/l de protéine (permettant de différencier un Transsudat d'origine inflammatoire - cf. production d'immunoglobulines en quantité : 1/3 infectieux dont BK, 1/3 cancer, 1/3 autre- d'un exsudat d'origine mécanique - cf. Insuffisance Cardiaque...), penser Transsudat = Trentesudat = > 30 g/l.
- Rappel : l'évolution naturelle du BK est marquée par les **"4C"** : **C**aséation - **C**alcification - **C**avitation (trou) - **C**icatrisation.

3. Posologie et forme galénique du traitement antituberculeux : "PERI 3-2-1-0"

Pyrazinamide	30 mg/kg	cp à 500 mg	4 cp/jr
Ethambutol	20 mg/kg	cp à 400 mg	3 cp/jr
Rifampicine	10 mg/kg	cp à 300 mg	2 cp/jr
Isoniazide	05 mg/kg	cp à 150 mg	2 cp/jr

Remarque :

- PIRE ou Peri, passé 2 mois il ne reste plus que IR (penser "IdR" de bout en bout) jusqu'au 6e mois de traitement.
- Pour retrouver les posologies : diminuer de 10 mg/kg à chaque fois, sauf pour l'INH (diviser par 2).
- Pour la forme galénique : diminuer de 100 mg à chaque fois, sauf pour l'INH (diviser par 2).
- Pour le nombre de comprimés, diminuer de 1 à chaque fois, sauf pour l'INH (ne rien faire).
- Tous les médicaments pendant 2 mois, puis poursuite du traitement avec la bithérapie "RI".
- Seuls "ERI" peuvent être donnés pendant la grossesse (contre-indication du pyrazinamide).
- Tous sont bactéricides, sauf l'éthambutol.
- Tous ont une toxicité hépatique, sauf l'éthambutol (toxicité ophtalmologique ++).
- La RIfampicine "RIt Jaune" : prevenir le patient de la coloration jaune-orangée des sécrétions (urine-larmes-selles...) due à cette molécule.
- Indications de la corticothérapie dans la tuberculose évolutive : **"PP MiMILe"** : **P**éricardite - **P**leurésie - **M**éningo-encéphalite - **MIL**iaire.

- **Traitement de la tuberculose :**

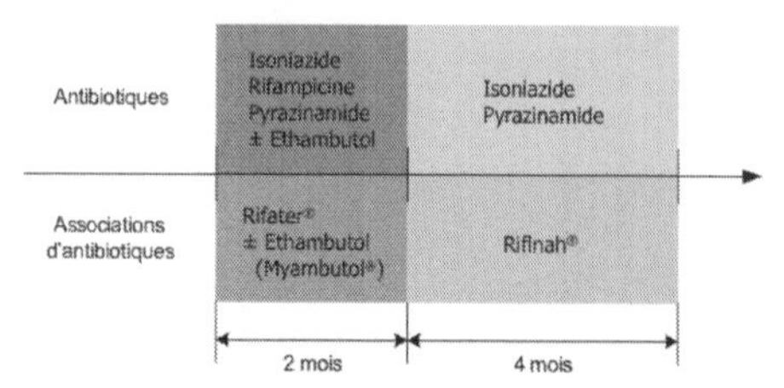

STAR-MÉMO :

Amédeo Modigliani (1884-1920)

Tête de l'Art

Peintre connu par les déformations et l'étirement des formes de ses modèles, Modigliani présentait des antécédents pathologiques.

Enfant, Modigliani fut sujet à deux "attaques de pleurésie" en 1895 et 1890 (la tuberculose était un mal familial, qui emporta sa grand-mère et son oncle). Adolescent, il arrêta ses études après une typhoïde (1899) pour se consacrer à la peinture.

À partir de 1913, rongé par l'alcool (le peintre n'allongeait pas son absinthe !) et la tuberculose, sa santé se compromet encore. Son état s'aggrave en 1919 et ses amis le découvriront mourant dans son atelier ; il décède dans la misère d'une méningite tuberculeuse le 24 janvier à l'Hôpital de la Charité. Le lendemain, sa compagne Jeanne, enceinte de neuf mois, se défenestre.

Source : *Modigliani*, Gaston Diehl, Flammarion 1969.

4. Surveillance d'un traitement antituberculeux : "NORBERT"

Négativation des BK (crachats) : surveillance tous les 2 mois

Ophtalmologique : tous les mois pendant le traitement par ethambutol (examen : champ visuel, fond d'œil, vision des couleurs)

Rénale (urée - créatinine) tous les 2 mois

Bilan hépatique complet 2 fois par semaine pendant 1 mois puis 1 fois par mois

Examen clinique tous les 2 mois (état général, poids, température, examen neurologique)

Radiographies de thorax à J0 - J15 - M1 - M2 - M3 - M4 - M6 - M9 - M12 (voir boîte émail)

Tolérance, tous les 2 mois (urine foncée, arthralgies, lupus...).

Remarque :

- Pour la surveillance du ttt antituberculeux (Rx du thorax), le tableau Minute suivant vous donne une vision globale :

	avant TTT	J15	M1	M2	M4	M6	M9	M12	M18
Consultation	+	+	+	+	+	+	+	+	
Recherche BK	+	+	+ (jusqu'à stérile)	+		+			
Radio thorax	+		+	+		+			+
Transaminases	+	+	+ (si anomalie)						
Examen OPH * (si ETB)	+			+					
NFS plaquettes	+								
Créatinine	+								
Uricémie	+								

- Attention aux anti-tuberculeux :
- Rifampicine : nombreuses interactions médicamenteuses (inducteur enzymatique), coloration orangée des sécrétions (larmes, urine...).
- Isoniazide : hépatotoxicité et neurotoxicité.
- Ethambutol : toxicité ophalmologique : NORB ++ (névrite optique rétrobulbaire).
- Pyrazinamide : hépatotoxicité, hyper-uricémie.

- L'évolution de la TB est caractérisée par les "4 C" : Caseation - Calcification - Cavitation - Cicatrisation.

... ZÉRO :

- Maladie à Déclaration Obligatoire (DO 27)
- Sérologie VIH avec accord du patient
- Isolement respiratoire tant que patient bacillifère
- Dépistage de l'entourage
- Apport de vitamine B6
- Demande d'exonération du ticket modérateur (prise en charge à 100%)
- Arrêt de travail
- Interactions médicamenteuses avec le traitement habituel.

STAR-MÉMO :

Franz Kafka (1883-1924)

Quel peut être le point commun entre Freud et Kafka ?

Ils ont été soignés par le même médecin, le Pr. Markus Hajek, un des meilleurs ORL de l'époque. Celui-ci, pendant le printemps 1916-1917, traita Kafka pour une localisation laryngée du bacille tuberculeux, après avoir soigné Freud pour un cancer de la mâchoire. Le bacille de Koch (celui de la tuberculose, du nom de son découvreur), fut ainsi reponsable des difficultés à avaler et à parler, ainsi que des douleurs laryngées présentées par l'écrivain.

Le Professeur était connu pour porter peu d'attention à ses patients, comme il était de coutume chez les médecins allemands et autrichiens de l'époque. Très stricts et autoritaires, ils ne laissaient aucune initiative à leurs patients, puisque la parole du médecin ne pouvait jamais être discutée ! Le Praguois plongé dans la violence de son combat intérieur et dans sa quête spirituelle (au XIXe siècle, éclosion des artistes de tous bords suite au vide engendré par "la mort de Dieu") n'en avait probablement cure... À une époque où n'existaient que les sanatoriums, il survécut à sa maladie une dizaine d'année avant de s'éteindre à 41 ans.

Source : Wien Klin Wochenschr (1998) 110/115 : 542-5.

- ITEM 124 -
SARCOÏDOSE

- Les 3 Caractéristiques des adénopathies dans la sarcoïdose : "BBS"

Basses

Bilatérales

Symétriques et non compressives

Remarque :

- L'autre nom de la sarcoïdose est la "maladie de Besnier-Boeck-Schaumann" (BBS).

- Signes cliniques du syndrome de Löfgren (sarcoïdose) : "FANTA"

Fièvre

Arthralgies

Noueux (érythème).

Tuberculinique (anergie).

Adénopathies médiastinales bilatérales et symétriques.

- Variante : "FIGEA"

Fièvre

IDR anergie

Ganglions médiastinaux

Erythème noueux

Arthralgie

- Ne pas oublier que le poumon **Droit** présente **"Drois"** **(3)** lobes et que le poumon gauche en présente deux.

- ITEM 157 -

TUMEURS DU POUMON, PRIMITIVES ET SECONDAIRES

1. Les 5 principaux risques médicaux imputables au tabac : "5 C"

Cardio-vasculaire : carotide (AVC), coronaire (angor, IDM, artérite).

Chronique (bronchite) : 70% des BPCO sont post-tabagiques.

Cancer : voies aériennes digestives supérieures (VADS), vessie, pancréas, col utérin.

Contraception orale : la pillule ou le tabac mais pas les deux.

Congénital : si arrêt du tabac, absence de grossesse à risque.

Remarque :

- Les effets cardiovasculaires sont dus à la nicotine, les effets dégénératifs sont dus au goudron (voies respiratoires cf. KBP-K.ORL et voies excrétrices K rénal & vessie).
- Pour le versant pneumologique (BPCO, cancer...), les risques apparaissent à partir de 20 paquets/année. Enfin, les cacahuètes sont servies, l'apéritif reste à venir... Concernant les BPCO, noter ce mémo épidémiologique : "1-2-3" : 1 Million de prévalence - 200.000 décompensations /an et 30.000 décès /an (= 2 fois la mortalité du cancer bronchique).
- Concernant ce mémo (faisant tristement un tabac...), en termes de Santé publique, la France met le paquet (fumer en public,

vente aux mineurs, etc.), car rappelons que dans notre pays, près de 60 000 personnes meurent chaque année d'une maladie liée au tabac, chiffre qui pourrait augmenter pour atteindre les 100 000 personnes dans quelques années selon les épidémiologistes.

Par analogie au couple Tabac/KBP (95% de tabagique), le couple amiante/ mésothélium doit faire évoquer les professions liées aux produits suivants : matériaux d'isolation, cloisons pare-feux, calorifugeages, freins...

Noter qu'aux USA, le cancer du poumon est devenu le 1er cancer chez la femme (devançant le cancer du sein), suite au tabagisme croissant féminin.

Les meilleurs résultats concernant la prévention sont obtenus avant tout via le prix (grosso modo un paquet de cigarette vaut 10 en Angleterre, 6 en France et 0,6 en Chine) et en second lieu via les messages visuels dissuasifs sur les paquets (cf. Angleterre : image de tumeur, de patient intubé ventilé...).

- L'industrie du tabac est extrêmement puissante (cf Lobbying, campagne publicitaires, études scientifiques "sponsorisées",...) et représente environ 10% des recettes fiscales (chiffre en Chine : marché majeur et premier fabricant mondial). Et pourtant, l'Empire du Milieu présente un nombre de fumeurs record : environ 50% des adultes mâles (soit au bas mot 300 millions d'individus = 1 accroc au tabac sur 3 dans le monde !). 3 chiffres évocateurs :

. *"Do what you Preech"* : 50% des hommes médecins chinois sont eux-mêmes fumeurs !

.. 12% des décès en Chine sont imputables au tabac : 1 Million pour 2009 !

... Ce chiffre pourrait tripler d'ici 2030.

2. Prévention : les 4 axes d'une méthode "Stop Smoking Programm" globale : "4M"

Mentale préparation ("Brain wash Programm" = 60 % du succès) : carnet de motivation (à lire 6 fois/j) avec : photos famille, définition d'un "D Day" + mapping des risques + les effets positifs (santé, image, estime de soi,...) et négatifs attendus + CAT : anticipation en cas de situation à risque (café, ordinateur...).

Multiples : la tentative en équipe donne de meilleurs résultats qu'une tentative individuelle (cf. observance, soutien, échanges ...).

Marathon : sport par ses propriétés anxiolytiques (25 min /jr ou une suée minimum) et énergétiques (gain de poids d'environ 7 kg à 1 an).

Médication : Zyrban : à visée anti-dépresseur - 1.0.0/j - en commençant 1 semaine avant et finissant 15 jours après le début, et Nicotine (gommes ou patch à visée anti-addiction nicotinique) après le début de l'arrêt.

Remarque :

Environ 50% de succès à 1 an si méthode globale.

- ITEM 198 -
DYSPNÉE AIGUË ET CHRONIQUE

1. Dyspnée aiguë : 4 principaux examens complémentaires : "ECGS"

ECG (infarctus du myocarde, etc.)

Cliché thoracique (radiographies) : pneumothorax, pneumopathie...

Gazométrie (embolie pulmonaire, etc.) : non systématique mais fréquemment pour suspicion diagnostic (EP PaO_2...) et évaluation gravité

Sang : rechercher anémie (Hb), EP (D-Dimères : à forte valeur prédictive négative 97%), IDM (Troponine), Autre cause cardiaque de décompensation aiguë (BNP)

- En pneumologie (et accessoirement aux examens), toujours penser à éliminer (= toute question doit comporter) : EP, cancer, BK ; et toujours prescrire : arrêt tabac, kinésithérapie, vaccin antigrippal, anti-pneumocoque et O_2 (souvent). "Je répète donc je suis" : Esculape ?
- Indications générales des EFR : Diagnostic positif (ex : définition de la BPCO : VEMS/CV < 70 %) - Sévérité atteinte (ex. BPCO : classification GOLD) - Reversibilité potentielle (mesure de la réponse lors de test de provocation bronchique).
- Pour mesurer objectivement ("If you can't measure it ... you can't manage it") l'évolution d'une IRA, outre les paramètres hémodynamiques, n'hésitez pas à recourir au Peak Flow (Débit Expiratoire de Pointe) : valeur normale pour un Homme = 600 et pour une Femme = 400 l/min. Signe de gravité si le PF est < 150 l/min (cf. AAG...).

- Pour pouvoir interpréter une radio pulmonaire, intérêt de connaître les projections anatomiques ; le cliché suivant devrait pouvoir vous servir.

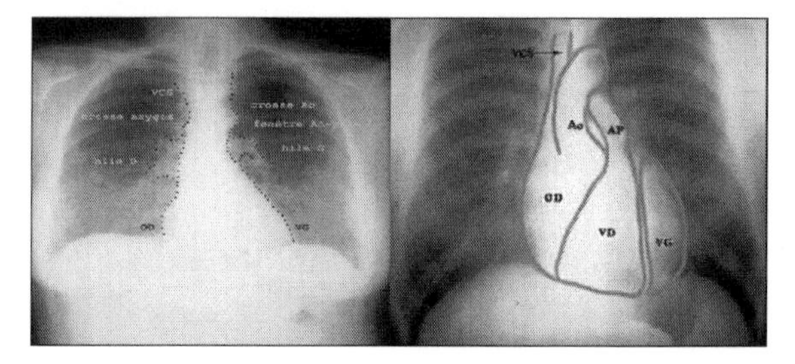

2. Syndrome cave supérieur : les 4 éléments du traitement : "CAVE"

Corticothérapie

Anticoagulation

Violet (ultra) : radiothérapie

Etiologique.

3. RÉFLEXES

- Toute suspicion de tuberculose bacillifère nécessite l'isolement du patient jusqu'à preuve du contraire.
- Tout trouble de la ventilation chez un fumeur fait évoquer un cancer bronchique jusqu'à preuve du contraire.
- Pas de cancer dans la silicose.
- Pas d'oxygène à haut débit dans les décompensations de BPCO (risque d'hypercapnie).

- ITEM 226 -

ASTHME DE L'ENFANT ET DE L'ADULTE

1. ASTHME : les 4 principaux facteurs à l'origine d'une décompensation : "AIRR"

Allergène exposition

Infection (virale ou bactérienne)

Respect traitement préventif : absence (voire iatrogénie cf. Bêta moins....)

Reflux gastro-œsophagien (souvent nocturne).

80% des crises d'asthmes sont liées à une exposition à un allergène (poils chat, acariens,...) dans un contexte favorisant (humidité, température,...) : beaucoup de crises d'asthme à Lisbonne où l'humidité est conséquente et inversement pour le même patient peu à Pékin où le climat est sec.

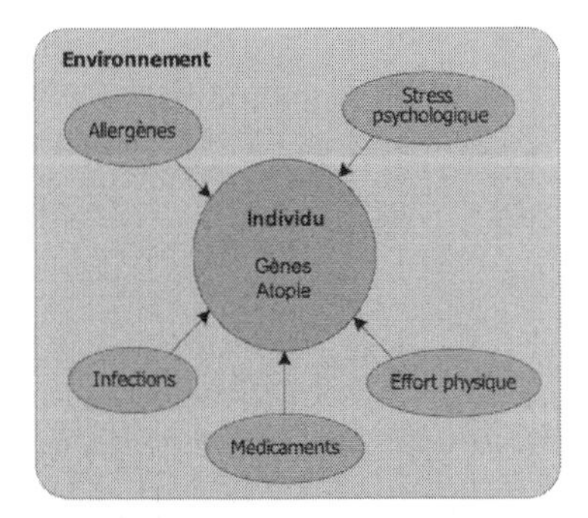

Remarque :

- Le non-respect d'un traitement préventif fait également partie des principales causes de décompensation aiguë.
- Une formulation plus spécifique mais bien plus laborieuse concernant les principaux facteurs déclenchants à rechercher devant une crise d'asthme : **"ASPIRINES"** **A**llergène - **S**epsis : sinusites et infections bronchiques - **P**ropranolol® et bêtabloquant - **I**rritants bronchiques (vapeur, brouillard, fumée, tabac...) - **R**eflux gastro-œsophagien (asthme nocturne) - **I**diopathique (influence hormonale : règles, ménopause voire facteurs psychologiques) - **N**on-respect du traitement - **E**ffort - **S**tress et agressions nerveuses. Le mot ASPIRINE permet également de rechercher la 9e étiologie qu'est l'aspirine (triade de Widal : asthme, allergie à l'aspirine, polypose nasale).
- La question asthme ne peut se concevoir sans maîtriser les critères d'AAG : Antécédent (cf. âge < 4 ans, hospitalisation en USI...), Clinique (cf. épuisement respiratoire, sueurs, signes cardiaques droits...), Para-clinique (peak flow, distension Rx...) qui imposent l'hospitalisation en urgence.

STAR-MÉMO :

Joseph Louis Proust (1871-1922)

Proust ne manquait pas d'air...

À l'âge de 9 ans, après une promenade avec ses parents au bois de Boulogne, son frère le docteur Robert Proust, décrit à son propos *"une effroyable crise de suffocation qui faillit l'emporter devant mon père terrifié"*. Enfant, Proust répète les mêmes épisodes dans les jardins qu'il fréquente au printemps et en été. Dès l'âge de 1 ans, l'air de la campagne lui est interdit, il passe ses vacances à la mer (Dieppe, Trouville, Cabourg) ou à Salies-de-Béarn dans les Pyrénées. Ayant lui-même remarqué le rôle déclenchant des pollens, se déclarant "indisposé" par une multitude de poussières et d'odeurs, il exigeait de ses visiteurs qu'ils n'aient touché aucune fleur avant de venir le voir, faisait désinfecter son courrier au formol, portait des gants lorsqu'il travaillait au lit... La rédaction du grand œuvre pouvait alors débuter. Jean Cocteau disait même que *La Recherche du Temps perdu* n'est qu'une "longue crise d'asthme". *"Le rythme de la phrase proustienne est celui de la dyspnée asthmatique"*. (Dr Corganian de Corganoff, 1945).

Source : Panorama du Médecin, n°4541, 12 février 1998

René Laënnec (1781-1826)

Voir, c'est entendre...

Nouvellement promu Médecin Chef à l'hôpital Necker de Paris, à trente-cinq ans, Laënnec n'avait pas les yeux dans sa poche. Observant des enfants jouant à un jeu acoustique, il eut l'idée d'écouter les battements du cœur d'une de ses patientes en appliquant contre la poitrine de cette dernière une feuille de papier roulée en forme de cornet acoustique.

Il perfectionna le procédé, d'abord en changeant sa forme puis en utilisant un écouteur de bois, il élabora enfin une version définitive de l'instrument qu'il nomma sthétoscope (du grec "sthetos" : poitrine).

L'appareil fut dénigré à l'époque par beaucoup de médecins qui sans doute trouvaient plus agréable de poser leur oreille sur la poitrine de leurs jolies patientes !

Mais la postérité a rendu justice à Laënnec qui, s'il s'était ausculté avec son appareil, aurait pu diagnostiquer son asthme !

À noter, pour la petite histoire, qu'il s'agit probablement du premier auteur à s'être rendu compte de la composante psychogène de l'asthme : en effet, étant allergique au pollen, il déclencha chez une amie une crise d'asthme, à la simple vue de fleurs... en papier !

Source : Revue du praticien, 1998, 48.

RASSUREZ VOS PATIENTS : asthmatiques… et célèbres

Mark Spitz (1950-)

7 médailles d'or aux JO de Munich de natation en 1972…

Ernesto Guevera, dit "le Che" (1928-1967)

Dennis Rodman (1961-)

5 fois champion NBA…

Greg Louganis (1960-)

Le plus grand plongeur de tous les temps…

Le plus grand plongeur de tous les temps est pourtant… asthmatique !!!

47 fois champion des États-Unis, il est également le premier et seul homme à avoir obtenu 7 notes à 10 en haut vol !

Ce spécialiste du "peak flow" démontre bien qu'un asthme bien contrôlé permet le déroulement d'un evie ordinaire, voire extraordinaire.

2. Asthme : dosage classique de la nébulisation de Bêta + (Salbutamol) : règle des "654"

6 litres d'oxygène nébulisant

5 mg de salbutamol (attention mg et non ml !) : beta + (ventoline solution)

4 cc de sérum physiologique.

Remarque :

- Un asthmatique en crise qui peut compter jusqu'à 10 est un signe de bonne adaptation. Mais ne pas attendre car peut décompenser très rapidement (au moindre signe de gravité : cf. critères d'AAA, appel SAMU et nébulisation).
- La mortalité de l'asthme en France est avant tout dû à un retard de prise en charge adaptée (peu ou pas de décès des asthmes hospitaliers).
- L'adrénaline (dans un environnement hospitalier et en aérosol) par son action bêta +, peut être employée après échec du traitement standard bien conduit de 1re intention ; ceci afin d'éviter, tant que faire se peut, l'extrêmement difficile intubation-ventilation assistée (risque pneumothorax bilatéral compte tenu des pressions nécessaires...).
- La difficile ventilation assistée est indiquée seulement devant : un épuisement respiratoire, des troubles de la conscience, une insuffisance cardiaque droite, une gazométrie alarmante ($PaCO_2$ > 60 mm Hg, acidose mixte).
- *"Qui dit Asthme dit BETA +"* : Retenir que *"nous avons 1 cœur et 2 poumons"* et par suite les récepteurs Beta-1 sont donc prédominants au niveau du cœur et les Beta-2 au niveau du poumon. Concernant l'indication d'un traitement préventif au long cours (cf. corticoïde inhalée type Pulmicort) , noter les éléments à prendre en compte : saisonnalité, nombre de crises mensuelle, quantité de Ventoline consommée,...
- Bien distinguer traitement de la crise (spray, aérosol, voire SC ou IM de béta (+) et traitement préventif (selon un stagging tenant compte du nombre/mois et de leur intensité) généralement à base de béta (+) type Ventoline et surtout de corticoïde inhalés. Différents dispositifs sont disponibles (voir page suivante).

Quelques exemples de systèmes d'inhalation

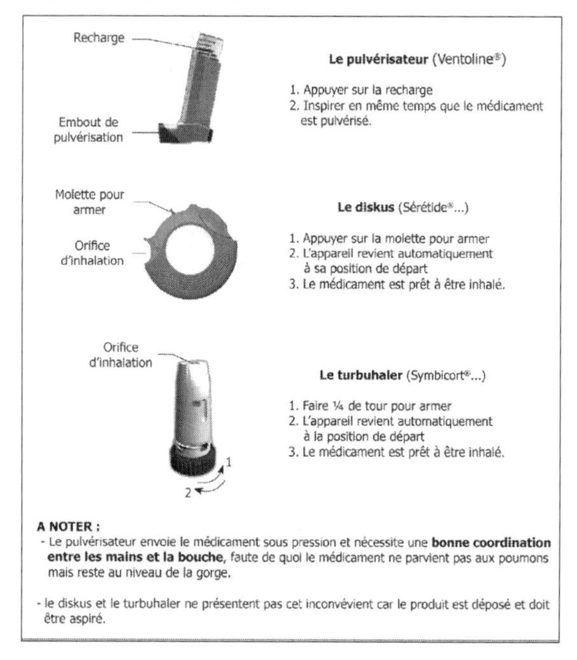

3. Traitement de la crise d'asthme aiguë grave : "BAC TO AIR"

Béta mimétique (= Béta +) : Salbutamol nébulisation et parfois également injectable (ex SE : 1 mg/h)

Anticholinergique : Atrovent en nébulisation (Bromure d'ipratonium) souvent associé avec la ventoline

Corticoïde

Théophyline : parfois chez l'enfant

O2

Adrénaline : nébulisation en seconde intention dans les cas graves

Intubation : si résistance au traitement ci-dessus (difficulté à intuber et surtout ventiler : pression très importante avec risque de pneumothorax)

Remarque :

Très peu de mortalité hospitalière (les décès par asthmes sont ceux dus au retard d'hospitalisation)

Concernant les distensions thoraciques, 2 mémos pour la route :

- Signes cliniques de distension thoracique : HTA Hoover : signe de diminution inspiratoire paradoxale du diamètre basithoracique (signe l'aplatissement du diaphragme) - Tirage (traction des muscles du cou ...) - Asynchronisme thoraco-abdominal.
- Signes radiologique de distension thoracique : **HTA** Horizontalisation des côtes (qui sont peu mobiles à l'expiration forcée) - Tonneau : thorax en tonneau, (augmenté de hauteur (> 30 cm à droite), cyphose dorsale + majoration de l'espace clair rétrosternal et rétrocardiaque - Aplatissement des coupoles diaphragmatiques, et ont un aspect festonné (sites d'insertion visibles).

STAR-MÉMO :

Abd El-Kader (1808-1883)

Le souffle d'Arabie...

"Quand on m'appela pour voir l'Émir durant la première nuit passée à l'hôtel, je le trouvais suffocant d'asthme. Il avait déjà souffert d'asthme plusieurs fois dans le passé, notamment lors de son premier passage à Marseille après avoir embarqué...".

Dr De Martinphrey (1865)

Après l'invasion française de 1830 sur les terres contrôlées par l'empire ottoman, la rébellion locale s'est organisée autour d'une figure mythique : Abd El Kader.

Le fondateur de l'Algérie Moderne a réussi par son talent oratoire et ses prouesses militaires à imposer la conscience d'un état Algérien, et ce malgré des crises d'asthmes paroxystiques et récurrentes qui accompagnèrent toute sa carrière.

Source : Allergy & Asthma procedures 1997 vol 18.

4. Asthme au long cours (et corolaire de traitement de fond préventif) ; les 6 critères de contrôle de l'asthme : "BAD ADN"

Beta + : augmentation des doses . Utilisation de bêta 2 mimétiques

Absentéisme (cf éécole,...) : recrudescence (exacerbations = quantitatif) & gravité (qualitatif)

DEP : Variation du DEP & DEP/VEMS

Activité physique : limitation

Diurne

Nocturne

Remarque :

- La prise en charge préventive d'un asthme au long cours est fournie par le tableau suivant :

Stades	1	2	3	4
Asthme	Intermittent	Persistant léger	Persistant modéré	Persistant sévère
Signes respiratoires	Crises • < 1/semaine • nocturnes ≤ 2 par mois	Crises • < 1/jour • ≥ 1/semaine • nocturnes > 2 par mois	Crises ≥1/jour • nocturnes • > 1/semaine	Crises • Fréquentes • Symptômes permanents tant nocturnes que diurnes
DEP ou VEMS	≥ 80%	≥ 80%	60 – 80%	≤ 60%
Variabilité journalière	< 20%	20 à 30%	> 30%	> 30%
Traitement	**Béta-2 mimétiques inhalées d'action rapide à la demande**			
		Corticoïdes inhalés 800 µg/jour	Corticoïdes inhalés 800 à 2000 µg/jour	
		Si symptomatologie nocturne	Béta – 2 mimétiques de longue durée d'action	
Autre traitement nécessaire			Corticoïdes *per os*	

- Un mémo à ne que parcourir sur les critères de classification de l'asthme **"FENEQ"** : **F**réquence - **E**xacerbations -**N**uit - **E**FR (Peak Flow) - **Q**ualité de vie.

- ITEM 227 -

BRONCHOPNEUMOPATHIE CHRONIQUE OBSTRUCTIVE (BPCO)

1. Prise en charge d'une BPCO en décompensation : "ABCD = OK"

Antibiothérapie : si infection déclenchante

Bêta (+) : ex. Bricanyl 5 mg en aérosol

Corticoïde : P.O ou IV : 1mg/kg/ j

Décubitus prévention : HBPM type Lovenox® (en attendant qu'ils le rebaptisent pour le mémo "Dovenox")

O2 : généralement 1-2 l/min (risque hypercapnie si au-dessus)

Kiné respiratoire.

Remarque :

- Bien sûr hospitalisation et traitement des facteurs déclenchants (cf. infection, non suivi du traitement préventif,...) pour aller à la grille.
- En général dans une IRA (cf. définition = critères cliniques + paramètres bio et peek-flow), malgré un traitement classique ("le médecin a bien appliqué la règle"), les 4 étapes suivantes sont :
  . Corticoïde IV
  . PEEP ventilation à Pression Positive en fin (End) Expiration
  . Voie centrale

. Avec pose d'une sonde de Swann Ganz permettant de mesurer les pressions pulmonaires PAPO : Pression Artère Pulmonaire avec à l'issue :
> 18 : Hyperpression = choc d'origine cardiologique
< 18 : pas d'hyperpression - choc à priori d'origine infectieuse : intensifier l'AB thérapie.

- Les 4 principales détresses respiratoires d'origine obstructives : **ABDE** : **A**sthme- **B**PCO (décompensation) - **D**DB - **E**mphysème
- Définition d'une BPCO penser **"MaMaM"** (3M & 2 A) : toux matinale avec expectoration pendant 3 Mois et ce pendant 2 ans.
- Prévalence BPCO 5% population (Asthme 7%)

- **Signes cliniques et de gravité d'une dyspnée aiguë :**

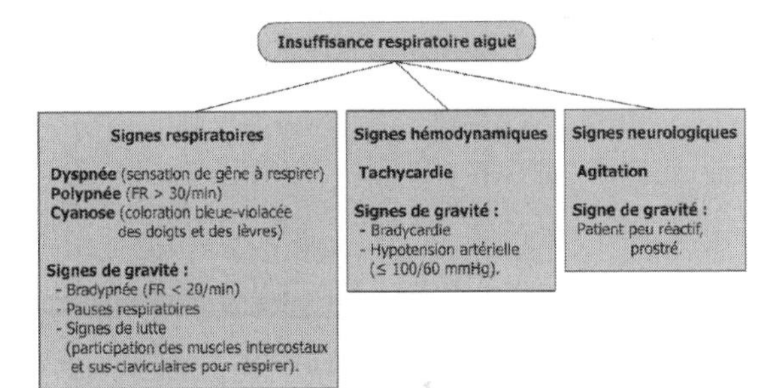

- **Dyspnée (insuffisance respiratoire) aiguë : les 4 types d'étiologies à rechercher :**

Causes pulmonaires	Crise d'asthme Pneumopathie infectieuse Pneumopathie autre (allergique...) Pneumothorax Pleurésie
Causes cardiaques	Insuffisance cardiaque aiguë Œdème aigu pulmonaire Embolie pulmonaire
Causes ORL	Corps étranger laryngé
Autres	Anémie Intoxication au CO Atteinte neurologique centrale

- ITEM 276 -

PNEUMOTHORAX

Les 6 éléments de gravité clinico-radiologiques d'un pneumothorax : "BACH BC"

Bilatéral

Atcd : cf. terrain avec pathologie pulmonaire sous-jacente (BPCO, emphysème...)

Complet (quand unilatéral)

Hémo-pneumothorax : cf. niveau hydro-aérique à la radio

Bride

Compressif

- ITEM 312 -

ÉPANCHEMENT PLEURAL

Pédicule vasculaire et position anatomique : **"Sous l'Abri Côtier... HaVANe"**

Le paquet vasculo-nerveux se situe juste **"à l'abri" "sous la côte"**.

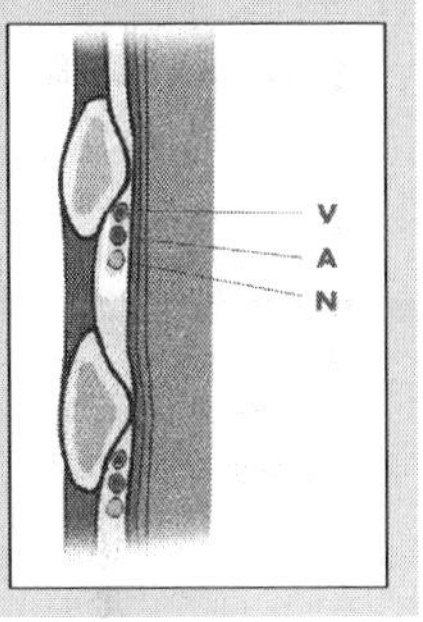

La distribution exacte (cf. dessin) est : **HaVANe**

De **HA**ut en bas :

- **V**eine
- **A**rtère
- **N**erf

Remarque :

- À maîtriser parfaitement tant pour les examens que pour la pratique (cf. ponction ou drainage pleural), toute ponction doit viser le bord supérieur de la côte, car le paquet vasculaire est sous la côte (de façon à éviter une hémorragie si on pique juste dessous).

- ITEM 317 -
HÉMOPTYSIE

1. Les 5 principales étiologies des hémoptysies : "ABCDE"

Aspergillose et rares causes infectieuses : bronchite (cf. origine mécanique), et rarement PFLA ou pneumonies à germes nécrosant

BK : tuberculose pulmonaire ulcéro-caséeuse (excavation), séquelles de tuberculose (bronchectasies secondaires)

Cancer. : Cancer bronchique primitif, métastases endo-bronchiques...

Dilatation des bronches (DDB). : hémoptysies massives++

Embolie pulmonaire. : dyspnée + douleur thoracique puis crachats hémoptoïques noirâtres

Remarque :

- Alternative plus poétique *"Quand Tu Dilates un beau Cœur"* : quand = **can**cer - tu = **tu**berculose - dilate = **D**DB - un beau = **embo**lie pulmonaire - cœur = cause **cardiaque** (RM par exemple).
- Sensibilité de la radio pulmonaire dans le KBP s'élève à 50%, alors que le scanner thoracique détecte des tumeurs de la taille d'un grain de riz (1 mm).
- L'incidence de la tuberculose est un bon indicateur du développement socio-économique d'un pays (cf. Chine : encore loin derrière les standards occidentaux).
- Seuls les rares cancers opérables (environ 1/3) pourront être guéris (d'où l'importance du bilan d'extension).

- Les 2 types de KBP sont donnés par le tableau suivant :

	Non à petites cellules	Petites cellules
Circonstances de découverte	Toux, dyspnée, infections pulmonaires récidivantes, hémoptysie.	
	Signes de compression médiastinale : dysphonie, dysphagie, syndrome cave supérieur	Identique mais plus fréquent
	Altération de l'état général	Souvent plus intense
Métastase	Os, foie, ganglions, cerveau	
Pronostic	Survie à 5 ans : Forme limitée : 60 % Forme étendue: 5-15 %	Médiane de survie 12 à 24 mois malgré les traitements
Moyens thérapeutiques	Chirurgie d'exérèse Chimiothérapie Radiothérapie	Chimiothérapie

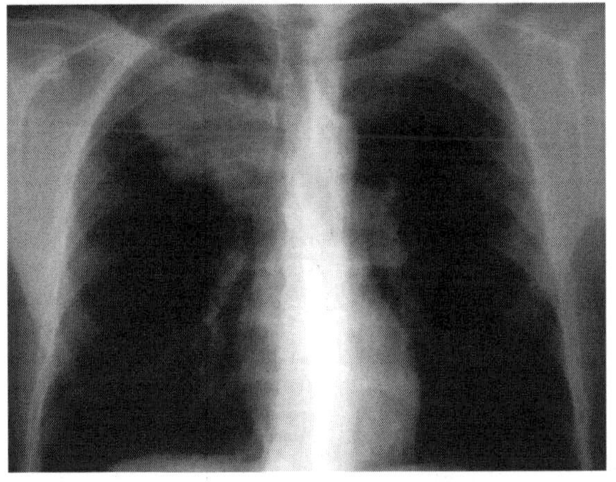

Radio pulmonaire : tumeur du champ droit

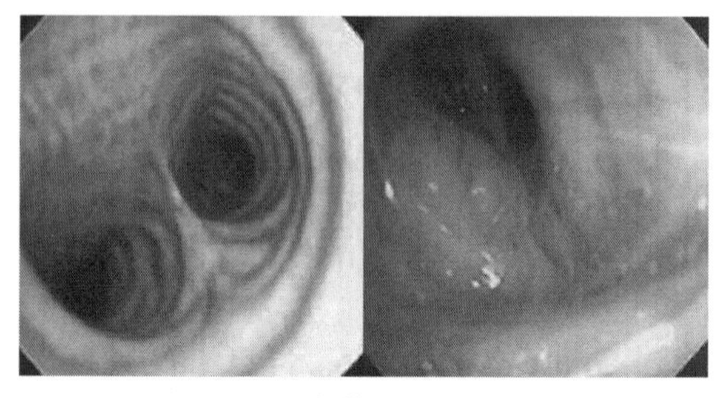

Bronchofibroscopie.

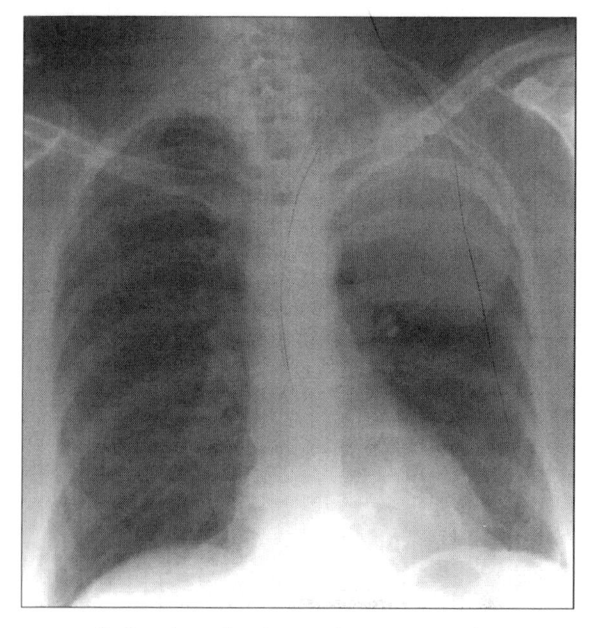

Radio pulmonaire : tumeur du poumon gauche.

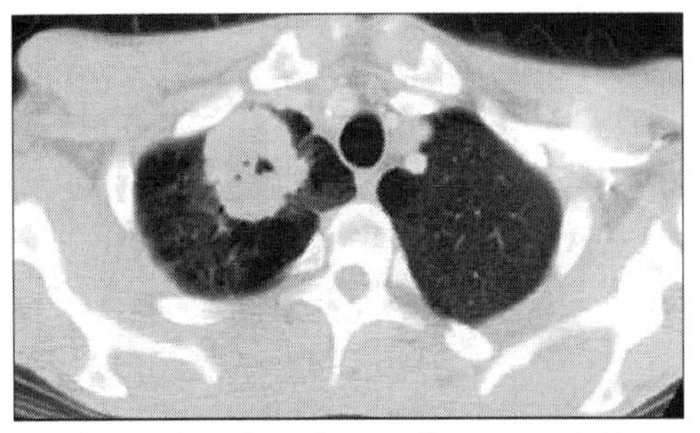

Scanner thoracique : tumeur du poumon droit.

Frédéric Chopin (1781-1826)

Le pianiste mène la quinte...

Chopin souffre et décède d'insuffisance respiratoire chronique. La cause précise est peu équivoque et les experts retiennent trois hypothèses :

1) La tuberculose, avec pour arguments les fréquents crachats sanguins du compositeur ainsi que la prévalence de cette maladie au XIXe siècle.

2) La mucoviscidose : en faveur, l'infertilité connue (et fréquente dans cette maladie) de Chopin. En effet, malgré 8 ans de relation avec Georges Sand, ils n'ont pas eu d'enfant (celle-ci écrivit : *"Pendant sept ans, j'ai vécu comme une vierge avec lui"*). Argument contre : Chopin n'était a priori, pas atteint d'insuffisance pancréatique caractéristique de la mucoviscidose. Par ailleurs, sa mort à l'âge de 39 ans, est peu conforme à l'espérance de vie attendue avec cette pathologie à l'époque.

3) Un emphysème (par déficit en alpha1 anti-trypsine), moins probable car le début de la maladie semble apparaître relativement trop tôt (16 ans).

Source : Chest 113-1 janvier 98, Chest 114-2, août 98.

N° d'impression : 162162